MW00624845

EL RETO

Toda caída nos prepara
para una victoria
aún mayor

Willie Jolley

EL RETO

Toda caída nos prepara para una victoria aún mayor

TALLER DEL ÉXITO

EL RETO

Editorial Taller del Éxito
Taller del Éxito Publishing House
1669 N.W. 144 Terrace, Suite 210
Sunrise, Florida 33323
Estados Unidos

Editorial dedicada a la difusión de libros y audiolibros de desarrollo personal, crecimiento personal, liderazgo y motivación.

Título original: A Setback Is a Setup for a Comeback
Derechos de traducción al español Taller del Exito Inc.

ISBN: 1-931059-74-8

Printed in U.S.A.

Tercera edición, 2007
Primera reimpresión, octubre de 2007

Este libro está dedicado a mi madre, Catherine B. Jolley, por sus años de sacrificio personal para que mi hermano y yo tuviéramos una educación de buena calidad, y por su ánimo constante en cada proyecto que he realizado.
¡Ha sido verdaderamente una gran bendición haber contado con una madre como tú!
Y también dedico este libro a mi padre, Levi H. Jolley, que murió tan joven, ¡pero que nos enseñó tanto!

CONVIERTA SUS MOMENTOS DE DUDA Y MIEDO EN TIEMPOS DE TRIUNFO

¡La adversidad es la preparación para renacer! ¡La sabiduría en estas palabras puede ayudar a levantarlo en sus derrotas vitales y ponerlo en el camino de la victoria!

· ¿Ha tenido alguna vez un contratiempo?
· ¿La vida le ha lanzado un *boomerang*?
· ¿Alguna vez lo han derrotado los tiempos difíciles?

Willie Jolley, el autor del *bestseller* de motivación ¡Sólo toma un minuto cambiar su vida!, ¡lo inspirará a actuar! En "El Reto: Toda caída nos prepara para una victoria aún mayor", Willie presenta su fórmula "V.D.A.D" (Visión, Decisión, Acción, Deseo) para sobreponerse a los retos constantes de la vida. Comparta sus técnicas para tomar el control de su destino, aplicando anécdotas e historias que lo animarán a concentrarse y a tomar el timón de sus sueños ¡a pesar de las adversidades! Leerá sobre gente común que se negó a acobardarse al enfrentar dificultades y encontró oportunidades en sitios inesperados. Existen numerosos descubrimientos ("A veces usted es el parabrisas, a veces es el bicho") y métodos prácticos ("¿Necesita librarse de los pensamientos negativos? ¡Enfréntelos, rastréelos, bórrelos y reemplácelos!"). Usando las estrategias sencillas de Willie Jolley usted convierte sus intentos en triunfos, sus problemas en posibilidades ¡y sus contratiempos en oportunidades de preparación para victorias aun mayores!

Reconocimientos

Primero, quiero agradecer a mi amigo y mi padre, mi mentor y mi maestro, mi ayuda y esperanza, mi luz y mi guía, Dios. ¡Estoy muy agradecido por todo lo que Él ha hecho por mí! Agradezco a mi esposa Dee, quien no sólo es mi mujer y el amor de mi vida, sino también mi mejor amiga, y duplica sus tareas como una gran correctora de estilo y socia. Quiero agradecer a mis hijos, William y Sherry Latoya, por su amor y apoyo en todos mis quehaceres. Gracias a mi hermano Noble y a su familia por su gran fe y apoyo. Mis agradecimientos a mi familia política Rivers, al señor Rivers Jr., a Edith y a Shirley Taylor por su ánimo y apoyo.

Estoy muy agradecido con todas las personas que contribuyeron a este libro. Quiero darle las gracias a todos los que entrevisté, a los que aportaron historias y a las personas cuyas historias me han inspirado a través de los años. Doy un agradecimiento especial a todos mis lectores, Rhonda Davis Smith, David Metcalf, RaeCarol Flynn, Darlene Bryant, y Brad y Terry Thomas. Agradezco a la Biblioteca Regional Chevy Chase en

Washington, DC, por dejarme trabajar en este libro en paz y quietud.

Gracias, gracias, gracias a todos en St. Martin's Press. Los editores, el equipo de ventas, la gente de publicidad, y todos en la oficina, que son maravillosos, especialmente la persona que considero el mejor editor del mundo, Jennifer Enderlin. Debo darle un gran agradecimiento a mi amigo y gran agente, Jeff Herman, por llevarme a St. Martin's y por asegurarse que la gente alrededor del globo pudiera leer las palabras e ideas de Willie Jolley. También agradezco especialmente, a Rick Frishman de *Planned Television Arts*, por presentarle a tanta gente a este sujeto llamado Willie Jolley y por presentarme a Jeff Herman. ¡Ustedes son los mejores!

Agradezco a todos mis amigos oradores que han sido tan comprensivos y me han apadrinado en la industria editorial: Greg Godek. Mark Victor Hansen, Jack Canfield, Harvey Mackay, Dennis Kimbro, Charlie "Tremendo" Jones, Dave y David Yoho, George Fraser, Iyanla Van Zant, y por supuesto a mi compañero y mentor, Les Brown. Gracias a todos mis amigos en la Asociación Nacional de Oradores, que me enseñaron acerca de la industria de la motivación y sobre el poder de dar y compartir. También agradezco a todos ellos, que fueron a las librerías y se aseguraron que mis libros estuvieran exhibidos y que le dijeran a la gente: "¡Compre este libro de Willie Jolley!". No podría haber logrado el éxito sin ustedes, que son los mejores amigos del mundo.

Finalmente, agradezco a todas las estaciones de radio y televisión que me entrevistaron y me permitieron compartir mis mensajes con el mundo. Además, a todos los centros de medios que escribieron historias y le hicieron publicidad a mis libros, música y mensaje. Estoy muy agradecido con toda la gente del país que ha escuchado mis discursos y con todos los grupos corporativos que he visitado. Agradezco a todos los estudiantes de los colegios donde he hablado y a todos los integrantes de mi Club Altamente Favorito y Bendito; a todos los que han comprado mis libros y grabaciones. Los aprecio a todos y a cada uno. Gracias a aquellos que me han detenido en las calles, o me han enviado correos electrónicos, haciéndome saber que mis palabras o canciones hicieron una diferencia en su vida. Es por eso que hago lo que hago. Su ánimo fue el combustible que mantuvo el fuego encendido. Gracias a todos y que Dios continúe bendiciéndolos y protegiéndolos. ¡Los amo mucho!

En cada vida llega un momento
un minuto en que debe decidir
pararse y vivir sus sueños
o caerse y vivir sus temores.
En ese minuto de decisión,
usted debe enfocar la visión
¡e invocar el poder que
descansa profundamente dentro de usted!
Entonces verá que los sueños
realmente se hacen realidad
y que todas las cosas son realmente posibles...
¡Si usted puede simplemente creer!
¡Sólo toma un minuto cambiar su vida!
¡Es tiempo de convertir la adversidad en la preparación para renacer!

—Willie Jolley

ÍNDICE

La adversidad es la preparación para renacer

Tengo solamente un solo minuto.
Sólo sesenta segundos en él
que pesan sobre mí, no puedo negarlo.
No lo busqué, no lo elegí
pero depende de mí usarlo.
Debo sufrir si lo pierdo
rendir cuentas si lo abuso
sólo un pequeño minuto
¡Pero una eternidad está en él!

—Dr. Benjamin Mays

Presentación

El minuto en que usted decide y actúa
¡es el minuto en el que usted cambia su vida!

—Willie Jolley

El punto de partida

Era una hermosa noche de sábado en el otoño de 1989. Estaba en camino a mi presentación nocturna en el Café *The Newsroom* donde mi acto era el principal. Me sentía fantásticamente. Me acababa de ganar mi tercer WAMMIE (la versión de Washington DC, de un Grammy) por ser el mejor cantante de jazz y sabía que las boletas de los dos espectáculos de esa noche estaban totalmente vendidas. Resultó ser una noche grandiosa con públicos maravillosos. Más tarde, esa noche, me emocioné cuando me llegó el mensaje que el dueño del club quería verme.

No me demoré porque en una noche como ésta podía ver un aumento y una extensión de mi contrato en camino. Nos sentamos y él dijo: "¡Estuvo fantástico esta noche! El público lo adora y le ha ido muy bien últimamente. Se acaba de ganar premios como mejor cantante de jazz y mejor actor y ha tenido muchos éxitos más. Ha hecho todo lo que le hemos pedido y es por eso que decirle esto es difícil. Hemos decidido hacer un cambio. Nos gustan usted y su banda, pero necesitamos ahorrar, usted entiende, reducir costos y reestructurar el capital humano. Puede llamarlo como quiera, significa lo mismo: ESTÁ DESPEDIDO.

"Hemos decidido ensayar durante un mes, algo nuevo que está funcionando en otros clubes: una máquina de karaoke.

"¿Un mes?", le dije "¿Y qué pasará con mis cuentas?" (Aprendí esa noche que a nadie le importan las cuentas de los demás; sólo a los acreedores)

Estaba en *shock*. Estaba dolido. Estaba pasmado. ¡Estaba devastado! No lo podía creer, había trabajado tan duro para construir la clientela para el club, y mi premio era ser despedido y reemplazado por una máquina de karaoke. Había oído de otras personas que perdían sus trabajos, pero nunca esperé que eso me sucediera a mí. ¡Era un contratiempo! ¡Un contratiempo inmenso! Sin embargo, ese mismo momento, fue el comienzo de una maravillosa forma de renacer. Un renacer que me ha enseñado que un contratiempo en realidad no es nada más que una oportunidad para vencer la adversidad.

El punto de giro

Desde ese momento empecé a cambiar mi vida. Me fui a casa y le conté a mi esposa que estaba enfermo y cansado de que alguien me dijera qué cantar, qué no cantar, cuándo cantar, cuándo no cantar. Estaba enfermo y cansado de que alguien más controlara mi destino. El momento había llegado; yo iba a cambiar mi vida.

Llamé a los miembros de mi banda por teléfono y les conté lo que había pasado y mi decisión de tomar otras direcciones. Me desearon suerte, pero no era en la suerte en lo que yo estaba apostando; ¡estaba apostando en mí! No estaba completamente seguro de qué iba a hacer, pero estaba seguro que iba a cambiar mi vida y sabía que la suerte no era el factor decisivo... yo lo era.

Había leído que "la definición real de suerte es cuando la preparación se encuentra con la oportunidad" y "si usted no tiene una oportunidad entonces busque una". Estaba cansado de pensar como un músico, siempre "esperando mi oportunidad", aguardando a que alguien me descubriera y me convirtiera en estrella. Decidí cambiar mi forma de pensar, mis acciones y sus resultados. Para dejar de "esperar oportunidades" y comenzar a "crear mis oportunidades".

Recordé haber leído una cita de Lucille Ball acerca de la suerte, después de que tuvo un contratiempo en los comienzos de su carrera cuando la despidieron de un estudio de cine. Un ejecutivo del estudio la despidió porque sentía que ella era una "actriz sin talento". Fue por ese contratiempo que ella pidió dinero prestado y creó su propio show. Se llamó "Yo Amo a Lucy" (*I Love Lucy*) y ¡se convirtió en un éxito! Se convirtió en el programa de televisión número uno ese año, el año siguiente y los posteriores. El programa pasó a ser el más grande de la televisión, y ella se convirtió en una de las actrices cómicas más grandiosas de todos los tiempos. Lucille Ball tenía una frase famosa acerca de la suerte, que dice: "He encontrado que es verdad, que entre más duro trabajo, más afortunada me hago." Yo no podría estar más de acuerdo.

Le creí a este nuevo concepto de crear mis oportunidades más que a esperarlas. Tomé un trabajo en un colegio comunitario como consejero, que consistía en hablar a los estudiantes que no les iba bien en el colegio y convencerlos de que permanecieran en él. Fue allí donde comencé a aprender sobre el poder de la motivación. Cuando se terminó el semestre, me ofrecieron trabajo en los colegios públicos de Washington DC, como coordinador de prevención de drogas. Mi labor consistía en hablarle a los jóvenes sobre cómo alejarse de las drogas y el alcohol.

A partir de mi trabajo en los colegios, los profesores y rectores comenzaron a invitarme a hablar en las reuniones de sus asociaciones. De las reuniones de las asociaciones me invitaron a hablar en otros grupos comunitarios. Esas invitaciones trajeron consigo más invitaciones para hablar en sus iglesias. En las congregaciones de las iglesias había gente que trabajaba en grandes empresas y me invitaron a hablar en éstas. La gente de las empresas compartió con sus amigos que trabajaban en otras empresas sobre mi labor, y mi reputación comenzó a crecer.

Entonces, Les Brown, el gran motivador, me escuchó hablar y cantar en un programa en Washington DC y me preguntó que si quería ser parte de una nueva gira que estaba comenzando con Gladys Knight llamada la Gira de la Motivación y la Música. Le gustaba el hecho de que yo hacía al mismo tiempo la motivación y la música y sentía que esto les abriría a ellos muchas puertas. Desde ese momento comencé mis giras con Les y Gladys y vinieron más oportunidades. De hablar en público siguieron las charlas por radio, las entrevistas por televisión; luego los libros, las grabaciones, las giras y los conciertos.

Imagínese, todavía podría estar cantando en un pequeño club nocturno lleno de humo si no hubiera sido despedido y reemplazado por una máquina de karaoke. De hecho, a veces quiero volver y abrazar al que me despidió. Él me ayudó a aprender de primera mano que ¡un contratiempo no es nada más que una preparación para superar la adversidad!

Contratiempos

¿Ha tenido alguna vez un contratiempo? ¿Ha tenido alguna vez un problema que lo derribó? ¿Ha tenido alguna vez una situación dolorosa en su vida? ¿Ha estado decepcionado? ¿Le han roto el corazón? ¿Ha perdido algo o a alguien y aparentemente no podía recuperar su equilibrio? ¿Ha tenido alguna vez un dilema en el cual le hayan "halado el tapete" en el que estaba parado y simplemente no sabía qué hacer? Si la respuesta a estas preguntas es afirmativa, este libro le será de gran ayuda.

Este libro es un manual de cómo hacer de sus contratiempos, oportunidades; cómo ganarle a las barreras y a la adversidad; cómo convertir los limones de la vida en limonada, cómo hacer de sus cicatrices, estrellas y de su dolor, un poder.

¿Alguna vez se ha preguntado por qué cierta gente puede ganar un millón de dólares, luego perderlo, ganar un segundo millón, perder éste, y después ganar un tercer millón, mientras otros no pueden cubrir sus necesidades? ¿Por qué es que algunas personas, sin importar qué toquen, parecieran convertirlo en oro? Porque ellos conocen la fórmula, la receta del éxito, y por tanto, pueden recrearlo una y otra vez. Ellos tienen adversidades, contratiempos, pero conocen la fórmula para transformar esos contratiempos en oportunidades permanentes. Este libro está escrito para darle la receta para convertir de forma efectiva sus problemas en posibilidades y sus contratiempos en oportunidades.

También se trata del poder de los momentos definitivos que cambian nuestras vidas y acerca de cómo podemos transformarlos al máximo. No es sólo acerca del poder de lo que ya sucedió, sino también del poder del proceso, porque hay poder en el proceso.

En este libro usted descubrirá la emoción que se crea cuando convertimos los contratiempos, esos momentos de retos y cambios, en minutos de victoria. Descubriremos cómo sacar la victoria de las mandíbulas de la derrota y la esperanza de las situaciones desesperadas. Cuando usted haya visto qué se puede hacer, cómo se ha hecho en el pasado y cómo hacerlo hoy, usted también podrá convertir esos tiempos de retos en tiempos victoriosos y convertir sus obstáculos en oportunidades para renacer.

La fórmula V.D.A.D.

Este libro está dividido en cuatro partes que contienen una fórmula para convertir cualquier contratiempo en una oportunidad para renacer. Esta fórmula se llama la fórmula V.D.A.D. y consta de:

1. El poder de la visión
2. El poder de la decisión
3. El poder de la acción
4. El poder del deseo

He encontrado que esta fórmula es constante para convertir los contratiempos en oportunidades. Como otras fórmulas que trabajan en forma constante, así lo hace ésta. Por ejemplo, cuando usted toma dos partes de hidrógeno y las mezcla con una parte de oxígeno usted obtiene agua; de la misma forma, cuando usted toma una visión y le agrega decisión, acción y deseo, podrá y conseguirá convertir sus contratiempos en oportunidades para renacer y cosechar victorias aun mayores.

Dentro de la fórmula V.D.A.D. de cuatro partes, hay nueve capítulos, pasos o recomendaciones (que significan técnicas, ideas, principios y estrategias para el éxito). Los capítulos están diseñados para darle a usted ideas y estrategias para convertir sus adversidades en oportunidades para renacer. Ideas, ejemplos e historias que detallan cómo convertir sus contratiempos en oportunidades. Además, encontrará historias de los famosos y los no tan famosos, pero historias de gente que obtuvo resultados extraordinarios, usando herramientas y técnicas específicas que hicieron girar sus vidas. Usted también puede emplear estas técnicas para convertir sus retrocesos en oportunidades.

Los nueve pasos le dan un plan de acción, punto por punto, y lo guiarán de forma efectiva para convertir sus contratiempos en victorias. Éstos funcionan, sin importar cuál sea el contratiempo.

Los pasos son:

1. Perspectiva ¿Cómo lo ve? ¿Es un contratiempo o una oportunidad para crecer?
2. Reconozca que así es la vida. No lo tome de manera personal.
3. Concéntrese en la meta. ¡Si el sueño es lo suficientemente grande, los problemas no importan!
4. Tome decisiones. ¿Ha sufrido un contratiempo? ¿Ahora, qué va a hacer al respecto?
5. ¡No entre en pánico! ¡Decida permanecer calmado, permanecer en su sitio y permanecer positivo!
6. Actúe en forma persistente y determinada.

7. Asuma la responsabilidad. Enfréntela, rastréela, bórrela, reemplácela.

8. ¡Tenga fe! ¡Usted está bendecido y es altamente favorecido!

9. ¡Recuerde que todo es bueno! ¡Tenga una actitud de gratitud!

En cada capítulo le daré unas enseñanzas específicas, que son importantes porque nos dan unas afirmaciones precisas que marcan una diferencia en nuestras adversidades. He encontrado que a menudo no percibimos las enseñanzas que nos da la vida debido a la cantidad de información con la que somos bombardeados. Lo mismo ocurre con este libro; hay una gran cantidad de información y una gran cantidad de cosas que pueden atraer su atención, pero no quiero que usted ignore estos puntos específicos. Han tenido un impacto tan positivo en mí que siento que es importante resaltárselos. Además, usted puede haber encontrado otras enseñanzas que le llegan y lo conmueven, así que he incluido un espacio al final de cada capítulo para notas sobre sus propios afirmaciones.

Al escribir este libro tengo unos objetivos específicos. Mi primer objetivo es inspirar a la gente, porque todos nosotros necesitamos inspiración. Muchas personas creen que la palabra inspiración significa "algo que es religioso", pero eso no es correcto. La mayoría de la información religiosa es inspiradora, pero la información inspiradora no tiene que ser necesariamente religiosa. Definamos inspirar.

Inspirar significa "respirar de nuevo". Para probar el caso, si usted escuchara un reportaje noticioso que dijera que una persona expiró a la 10:02 a.m., usted sabría que el aliento de la vida salió de él a las 10:02. Inspirar es el opuesto de expirar, significa que el aliento de la vida es restaurado. Significa "respirar de nuevo". Hemos encontrado que muchas personas están desanimadas y abatidas, deprimidas y pesimistas porque la vida les ha dado tan duro que se sienten derrotadas. Sin embargo, cuando están inspiradas, hay una nueva vitalidad, una nueva energía, instalada en ellos.

Todos necesitamos inspiración en algún momento. Creo que siempre deberíamos buscar inspiración. Si buscamos, es posible que la hallemos. Algunos la encuentran en la música, en la pintura, o al ver alguna escena hermosa, como un atardecer. Debemos buscar inspiración constantemente porque en ella encontraremos renovación y frescura.

El autor y conferencista Wayne Dyer dice que uno debe tratar de renovarse diariamente. Así como limpia y renueva su yo exterior (su cuerpo) a diario, usted también debe lavar, alimentar y renovar su yo interior diariamente. Debe hacer que la inspiración sea parte de su rutina diaria; de otra forma su yo espiritual estará necesitado y podrá desconectarse.

Piense en lo que le sucede a la mayoría de las personas cuando se levantan en la mañana; prenden el televisor y escuchan sobre asesinatos, incendios, terremotos y tragedias, y cómo está de mal la economía.

Así es como comienzan su día. No, usted necesita inspiración.

Sé lo importante que es la inspiración para mí. Parte de mi rutina diaria es leer y escuchar información positiva e inspiradora. Cuando me levanto me tomo un tiempo para rezar y meditar y leer o escuchar algo positivo, porque las estadísticas demuestran que si usted lee o escucha algo positivo en los primeros veinte minutos de su día, su productividad subirá dramáticamente. ¿Por qué es esto?

Si usted se levantó esta mañana y el día estaba lluvioso, frío y nublado ¿qué quiso hacer? ¡Volver a la cama! Sin embargo, si se levanta, el sol brilla, los pájaros cantan y es un día hermoso, es más probable que usted quiera tomar ventaja a ese día, para no perderse ni un minuto.

Lo mismo se aplica a su mente. Si usted se levanta y oye cómo van de mal las cosas y cuántos sucesos negativos ocurrieron en la noche, esto crea una nube sobre usted y puede levantarse pero no se entusiasmará para empezar el día.

Pero usted tiene otra opción, puede leer algo positivo como "El León y la Gacela" que dice:

Cada mañana en África se despierta una gacela
y sabe que debe correr más rápido que el león más rápido
o caerá bajo sus garras.
También cada mañana en África se despierta un león
y sabe que debe sobrepasar a la gacela más lenta

o morirá de hambre.
No importa si usted es un león o una gacela...
Cuando salga el sol, más vale que esté corriendo.

O podría levantarse, leer una escritura y gritar algo como este texto: "¡Este es el día, que el Señor ha hecho, regocijémonos y seamos felices en él!"

Independientemente de lo que haga, convierta en hábito el despertarse y comenzar su día con eso que es positivo, poderoso e inspirador. Cuando usted comienza su día de forma positiva, empieza con una nueva perspectiva, una nueva actitud y una nueva emoción. Está emocionado de estar vivo, y por tanto, es más apto para tratar más. Si lo hace, es más apto para conseguir más. Escoja programarse a sí mismo, en vez de dejar que las personas negativas lo programen a usted. ¡Escoja ganar!

Cuando esté inspirado, usted podrá compartir esa inspiración con sus amigos y familiares. Durante muchos años, cuando cantaba para vivir, no me interesaba inspirar a la gente, sólo quería impresionarla. Cantaba duro y fuerte y escuchaba los "Oohs" y "Ahhs" del público y me sentía feliz porque estaba impresionando. Pero cuando me convertí en conferencista tuve tiempos de retos reales para mí, tiempos que a veces fueron difíciles y dolorosos y me ayudaron a darme cuenta de que yo estaba acá no sólo para impresionar sino para inspirar. Una vez cambié mi enfoque e hice un compromiso para inspirar, no para impresionar, comenzaron a suceder cosas maravillosas en mi vida y en mi carrera. Aprendí acerca de servir y compartir. Robert Cavett, el gran decano de los oradores motivadores dijo: "¡El servicio a los demás es la renta que pagamos por el espacio que ocupamos en la tierra!" Jim Rhon, el gran motivador dice: "El servicio es para muchos el camino que lleva a la grandeza." Finalmente, Jesucristo, el carpintero de Galilea, nos enseñó que los más grandes serán los que sirvan a muchos. El servicio y compartir la inspiración, son mucho más importantes que ser servidos e impresionar a los demás.

A lo largo de este libro compartiré con usted diversa información: "La información es poder", como afirma el dicho. Sin embargo, para poder hacer una diferencia, usted debe contar con estrategias y maneras específicas de usar la información. Si comparto la información y las estrategias con ustedes, de la misma manera que otros la han compartido conmigo, y usted, a su vez comparte la información con otros, que a su vez también la comparten con más personas, podremos crear una red de gente que no le tenga miedo a los contratiempos. Tendrán un buen entendimiento y confianza de que crecerán a partir de sus contratiempos y los utilizarán para propulsarlos a un éxito futuro. La clave es que debemos estar dispuestos a compartir la información (usted no puede compartir lo que no tiene, y no puede demostrar que no sabe). Por esto siento que es importante compartir lo que he aprendido de mis fracasos y de mis triunfos; de mi dolor y de mi felicidad.

Cuando apenas estaba comenzando en el negocio de la música, fui a escuchar a una gran cantante de *blues* llamada Mary Jefferson. ¡Ella estuvo increíble! Después de su presentación le dije que yo era cantante de jazz pero que también quería aprender cómo cantar *blues*, al igual que ella. Sonrió y me dijo: "Nene, yo te puedo enseñar las notas y las palabras, pero eso no te hará un cantante de *blues*. ¡Ves, nene, debes sufrir para cantar *blues*!"

Siempre he recordado esa lección. Me di cuenta que es bueno para la gente oír acerca de mis logros, pero es más poderoso oír sobre mis luchas y caídas, y qué hice para sobreponerme a ellas. Podemos prestar un servicio, contando sobre nuestros éxitos, pero podemos ser aún más útiles contando sobre nuestros dolores, y cómo logramos sobrepasar las tormentas de la vida.

Finalmente, quiero compartir mi filosofía personal en este libro, que incluye mis perspectivas espirituales. Después de graduarme de la universidad, tenía un gran "deseo de inspirar" y me pareció apropiado ir a un seminario, ya que las únicas personas que conocía que trataban con la inspiración eran los predicadores. Después de asistir durante tres años y obtener un grado, me di cuenta que no había escuchado el llamado para predicar. Fue muy desconcertante. Sabía que tenía el deseo de inspirar pero no había oído el llamado para predicar. No sabía qué hacer.

Fueron tiempos muy dolorosos porque nadie, incluido yo, podía entender por qué había pasado todos esos años de universidad y seminario y no me convertía en predicador. Me gradué del seminario y me ofrecieron trabajar en una iglesia, pero no podía aceptarla porque creía que un predicador recibe un llamado alto de Dios y no debe ejercer frívolamente. Si no escuchaba el llamado, sabía que no podría tomar ese oficio, así que seguí con mi otro amor, el entretenimiento.

Me convertí en un cantante de propagandas y en un cantante de clubes nocturnos (vaya cambio) y tuve algún éxito en el negocio de la música. Canté *jingles* para muchos comerciales y me concedieron cinco premios consecutivos de la música del área de Washington; tres por "Mejor Vocalista de Jazz Masculino" y dos por "Mejor Vocalista Inspirador Masculino." Cada noche me presentaba en salones repletos, con algo de éxito. Hasta que tuve mi contratiempo del karaoke. ¡Un contratiempo que cambió mi vida y me ayudó a encontrar mi destino!

Fue después de ese contratiempo que trabajé con los colegios públicos de Washington DC, como coordinador de prevención de drogas y comencé a hablarles a los jóvenes acerca de alejarse de las mismas. Durante ese año encontré mi "voz de orador" y descubrí una habilidad para mezclar la motivación, la inspiración y el entretenimiento. De ahí creé un concepto llamado "InspiraTenimiento" (*InspirTainment)* y le llevé este "InspiraTenimiento" a jóvenes, luego a universidades y empresas, luego a lo largo de Estados Unidos y más tarde, por todo el mundo. Este libro compartirá algo de mi filosofía del "InspiraTenimiento", algo de inspiración, motivación, algunas de mis ideas espirituales. Espero que sea entretenida su lectura.

Quiero dejar claro que hablaré acerca de mi fe porque creo que ésta es un ingrediente importante en el éxito para sobreponerse a los retos. Recuerdo que cuando salió mi primer libro, un amigo abogado me dijo: "Me gusta tu libro, pero estoy un poco confundido. Yo creí que este era un libro sobre el éxito, y después leí que estabas hablando permanentemente acerca de Dios". "No entiendo qué tiene que ver Dios con el éxito." Le contesté: "Es un libro sobre el éxito, y por lo tanto, he compartido mi filosofía sobre éste. Creo que mi fe y mi éxito son inseparables. No puedo tener la una sin el otro. Es como tratar de separar lo mojado del agua, lo caliente del fuego. ¡Mi fe y mi éxito son inseparables!"

A través del libro compartiré pequeñas piezas y reflexiones que he encontrado en la Biblia que tratan de forma directa sobre el éxito y acerca de cómo superar los obstáculos. Realmente creo que la Éste es uno de los manuales para el éxito más grandiosos que jamás se ha escrito. Da increíbles estrategias, técnicas y fórmulas para el éxito y para convertir los contratiempos en oportunidades poderosas.

Según una encuesta, es el libro número uno, más leído y más vendido de todos los tiempos. De acuerdo con un estudio reciente de *USA Today*, es una fuente de inspiración e información para la mayoría de las historias de éxito actuales. He encontrado muchas respuestas acerca de contratiempos en la Biblia y me ha dado ejemplos maravillosos de cómo convertir la adversidad en una preparación para lograr victorias aún mayores.

En resumen, este libro se trata de solución de los problemas, del pensamiento creativo, de la motivación, del liderazgo y de la fe. Si usted puede, léalo y aplíquelo.

INTRODUCCIÓN

Sólo toma un minuto convertir la adversidad en una preparación para renacer

Estaba hablando con mi amigo, el reconocido autor Dennis Kimbro, acerca de lo triste que es ver personas que han sufrido contratiempos, caen y simplemente se rinden. Durante esta conversación, Dennis dijo: "Willie tenemos que ayudar a que esa gente vea que un contratiempo no es el final del camino, sino que es una oportunidad que está esperando."

-"Estás en lo cierto. Es una oportunidad para renacer."

-"¡Sí!"

-"¡Sí! ¡Guau! Eso es, Dennis, un contratiempo es realmente una preparación para una victoria mayor.

Yo creo que usted debe adoptar una nueva forma de pensar acerca de los contratiempos. Necesitamos ver un contratiempo como algo que debe ser aprovechado más que ser rechazado, porque si no hubiera contratiempos, no habría oportunidades para crecer. Si usted quiere ganar, debe tener la oportunidad de hacerlo. En otras palabras, los contratiempos son prerrequisitos para obtener victorias. La adversidad también es parte de la ecuación del éxito. La adversidad y los retos son las maneras en que la vida crea fuerza. La adversidad crea retos, los retos llevan a los cambios, y los cambios son absolutamente necesarios para el crecimiento. Si no hay cambios y retos, no pueden existir el crecimiento y el desarrollo.

Sin embargo, la mayoría de las personas le teme a la adversidad y al cambio. Alguien me dijo que al único ser que le gusta el cambio es a un bebé que tenga su pañal húmedo, sin embargo, el cambio es absolutamente necesario para el crecimiento. ¡Las personas exitosas no sólo aceptan el cambio, hacen todo lo posible para crearlo y manejarlo! Entienden que es una parte necesaria del éxito, y para poder crecer, deben estar dispuestos a cambiar.

El cambio es una parte esencial de la vida y de nuestra existencia, aunque sea incómodo. Todos nos acostumbramos a la estabilidad y cuando ésta se modifica, tenemos que realizar arreglos y reajustes que nos desagradan. A medida que pasamos de la infancia a la adolescencia, pasamos por cambios incómodos. Al pasar de ser adolescentes a adultos jóvenes, sufrimos cambios incómodos. En cada etapa de la vida, enfrentamos cambios continuos y estos son incómodos. Es por eso que los llamamos dolores de crecimiento.

Podemos experimentar cambios en nuestras carreras al conseguir un trabajo nuevo, lo que significa que tendremos que hacer nuevos ajustes. Podemos perder un trabajo, tener un revés o no poder obtener el trabajo que soñamos. Indudablemente esto será incómodo. Podemos experimentar cambios en nuestras relaciones, un rompimiento, un divorcio o la muerte de un ser querido. Podemos experimentar cambios en nuestras vidas, en nuestras finanzas, nuestra salud, o con la familia y los amigos. El cambio puede presentarse en una infinidad de formas y la mayoría son incómodas, sin embargo, suceden y debemos crecer a partir de ellas. De hecho, los cambios son absolutamente necesarios para el crecimiento; los contratiempos son parte del proceso de cambio y crecimiento.

Cualquiera que haya tenido algún tipo de éxito ha tenido un contratiempo. Ya sea Thomas Edison, Walt Disney, George Washington Carver, Michael Jordan, Steven Spielberg, Oprah Winfrey o cualquier otra persona exitosa. Todos ellos han sufrido contratiempos. Los elementos comunes para lograr el cambio, son: visión (un sueño grande); decisión (la voluntad de tomar decisiones difíciles); acción (acción definitiva en el sueño) y deseo (un compromiso de continuar hasta llegar a la meta).

Uno de mis ejemplos favoritos es el del doctor Seuss, que fue rechazado por casi todas las editoriales del país. Sólo una creyó en él, y esto fue todo lo que necesitó para lograr un éxito masivo.

Amigos: los contratiempos son una parte esencial del éxito, y toda caída nos prepara para una victoria aún mayor.

¿Qué es un contratiempo? (y ¡qué no lo es!)

El diccionario Webster define *contratiempo* como "un control del progreso, una derrota o revés inesperado, un obstáculo, un control, un revés, un impedimento, un bloqueo, una obstrucción, una derrota, una demora, una desventaja, una desilusión, una retención, un desaire, un agravio o una pérdida." ¿Notó como las palabras "Muerte" "Fin" o "Terminado" no aparecen en este grupo? ¡Esto muestra que un contratiempo no es el fin! Como dice el autor John Capozzi: "Un giro, o curva en el camino, no es el fin del camino ¡a menos que usted deje de hacer el giro!"

En realidad, no es el fin. Es una situación temporal que puede ser modificada. ¡No es la muerte! La muerte es la muerte, y un contratiempo es un contratiempo. No son lo mismo.

Pueden existir momentos en que la gente sufre contratiempos y puede parecer que están muertos. Pueden estar al borde de la muerte o al borde de rendirse y decir que todo está terminado, pero desde que quede una pequeña chispa, existe la posibilidad de voltear la situación y regresar.

Tina Turner es un ejemplo maravilloso de esto. Después de años de ser abusada por su esposo, decidió abandonarlo definitivamente. No volvió a hacer presentaciones en público y trató de conseguir un contrato musical en Estados Unidos, pero fue rechazada por numerosas empresas que le dijeron que estaba "quemada". Pero Tina Turner no estaba de acuerdo con lo que le habían dicho y resolvió que iba a regresar al escenario, con más fuerza que nunca. Se fue a Europa y grabó una canción llamada *Let´s Stay Together* (Permanezcamos Juntos), que se convirtió en un éxito. Después regresó a Estados Unidos y grabó un álbum llamado *What's Love Got To Do With It* (Qué Tiene que Ver El Amor con Eso), que se convirtió en un éxito masivo. A partir de eso, se volvió una de las artistas femeninas que más dinero recaudan en conciertos alrededor del mundo. Ella comprobó que la adversidad es la preparación para renacer.

John Travolta es otro ejemplo de alguien que logró superar las adversidades. Después de varias temporadas exitosas en el programa de televisión *Welcome Back Kotter* (Bienvenido Otra Vez Mr. Kotter) realizó otros programas que no fueron exitosos. Después apareció en algunas películas de segunda clase que tampoco fueron exitosas, y simplemente desapareció de la escena. Muchos pensaron que su etapa exitosa había finalizado, pero *él* no. Decidió regresar y comenzó con una película llamada *Pulp Fiction*. Ésta fue un éxito y él continuó teniendo éxito tras éxito. Así, se convirtió en uno de los actores mejor pagados de Hollywood, lo que prueba una vez más que la adversidad es la preparación para renacer.

Lee Iacocca fue despedido de Ford y dado por "muerto" en el mundo empresarial. El único trabajo que pudo conseguir fue con Chrysler Motors, que estaba al borde de la bancarrota. Sin embargo, Iacocca convirtió su contratiempo en una oportunidad increíble donde no sólo se transformó a sí mismo, sino que también revivió y transformó a Chrysler.

Lee Iacocca, John Travolta y Tina Turner entendieron que como el Fénix que renace de las cenizas, mientras exista rescoldo, una chispa de vida, se puede regresar.

Ahora detengámonos en la palabra *regreso*. El diccionario Webster la define como: "regreso a una posición o condición previa; recuperación, devuelta, refutación, respuesta, contestación, revivir, restaurar." La clave es aprender cómo cambiar sus patrones y respuestas para que pueda cambiar sus contratiempos en oportunidades para renacer de forma constante. Debemos aprender a ver la adversidad como promotora del desarrollo de la fuerza y a los contratiempos como creadores de oportunidades.

Adversidad

Mientras la prosperidad en ocasiones deja al descubierto los malos hábitos, la adversidad es superior en evidenciar las virtudes. Por ejemplo, la virtud que viene de la adversidad es la fortaleza. Las cosas buenas, que pertenecen a la prosperidad, deben ser deseadas, pero las cosas buenas, que pertenecen a la adversidad, deben ser admiradas. Por lo tanto, no conoce nada de su propia fuerza aquel que nunca ha encontrado la adversidad.

—SIR FRANCIS BACON

Si no tuviéramos invierno, la primavera no sería placentera. Si no tuviéramos adversidad, entonces la prosperidad no sería bienvenida.

—ANNE BRADSTREET

La adversidad puede hacerte o romperte. El mismo martillo que rompe el vidrio, también afila el acero.

—BOB JOHNSON,
Presidente de Black Entertainment Television

La buena madera no crece fácilmente; entre más fuerte el viento, más fuertes los árboles.

—J. WILLARD MARRIOTT

Quien esté avanzando en la vida, siempre va a tener contratiempos. Los únicos que no los tendrán son las personas que están muertas o que simplemente se han rendido. El libro de Proverbios dice, "Si te desvaneces en el tiempo de la adversidad, tu fuerza es pequeña." Mientras usted esté vivo, levantándose y tratando de hacer algo con su vida, va a tener contratiempos. En últimas, la diferencia entre ganadores y perdedores, y la clave del éxito a largo plazo, no es el talento o la habilidad, el azar o los golpes de suerte, sino la forma cómo usted vea y responda a los contratiempos y la adversidad. Hay otros factores que pueden entrar en juego, pero la clave del éxito va a ser cómo responda a sus contratiempos, porque tarde o temprano todos los tenemos. Los perdedores ven los contratiempos como el final del camino, mientras que los ganadores los ven como una curva en el camino. Esta es la diferencia determinante entre aquellos que ganan y los que pierden.

Mucho mejor retar cosas poderosas, ganar triunfos gloriosos, a pesar de que estén acompañados de derrotas, que alinearse con espíritus pobres que ni disfrutan ni sufren mucho, porque ellos viven en el crepúsculo gris que no conoce victoria ni derrota. La dicha de vivir pertenece a aquél que tiene el corazón para exigirla.

—THEODORE ROOSEVELT

En su libro El Coeficiente de la Adversidad, (*Adversity Quotient)* el doctor Paul Stoltz dice que hay tres coeficientes de medida estandarizados, que tienen impactos en nuestro éxito: Son el IQ (*Intelligence Quotient*), Coeficiente Intelectual, el EQ (*Emotional Quotient*), Coeficiente Emocional, y el AQ (*Adversity Quotient*), Coeficiente de la Adversidad. Durante muchos años, la mayoría de científicos y educadores creyeron que el IQ era el principal factor de éxito. Afirmaban que si usted tenía un IQ alto, automáticamente estaba destinado al éxito. A mediados de los años 90 cuando finalmente Ted Kaczynski, el famoso criminal que se caracterizaba por enviar "cartas-bomba" a sus víctimas, fue capturado por el FBI, se descubrió que era un genio, pero no tenía destrezas sociales y no podía manejar las presiones de la vida. Una vez más quedaba demostrado que el Coeficiente Intelectual no es un buen indicador del éxito.

Todos hemos visto personas inteligentes que han utilizado mal su inteligencia y que, por lo tanto, nunca han alcanzado su potencial, o que no pudieron manejar los retos de la vida y se rindieron; algunos incluso han terminado en las calles de pordioseros. La inteligencia por sí misma no garantiza el éxito.

Daniel Goleman escribió en su libro, Inteligencia Emocional, que la inteligencia no es suficiente para garantizar el éxito; usted también debe tener un alto EQ. Goleman define el EQ como esa medida hipotética que refleja la habilidad de una persona para trabajar y simpatizar con otros, controlar los impulsos, tomar buenas decisiones y tener una alta autoestima. Afirma que uno puede ser inteligente de más de una manera. La gente con alto EQ tiende a destacarse en la vida real en las relaciones, en el desempeño laboral, en los ascensos y en las actividades comunitarias. Goleman demuestra que muchas personas con IQ alto, fallan, mientras que otros con IQ moderados, son exitosos. En otras palabras, el IQ puede ayudarle a conseguir trabajo, pero el EQ lo ayudará a permanecer y destacarse en éste.

Actualmente, el Cociente de la Adversidad es el factor más discutido para alcanzar el éxito y es un concepto que afirma que el IQ es genial, y que el EQ es maravilloso, pero que la determinación real del éxito la da el AQ, que determina cómo maneja usted la adversidad. Stoltz dice que todos nacemos con un empuje humano básico de crecer y ascender, como subir una montaña. A medida que ascendemos, notamos que los logros no son uniformes; habrá menos personas (y compañías) arriba que abajo. Él explica que esto lo determina el AQ.

El AQ es el nivel de adversidad que uno está condicionado a soportar para ascender la montaña y conseguir sus metas. Él dice que hay tres grupos y tres niveles de AQ. Primero están "los desertores", que son las personas que abandonan el ascenso cuando los tiempos se hacen difíciles y simplemente se rinden. El segundo grupo son "los conformistas". Estas son las personas que empiezan a subir la montaña, encuentran un lugar adecuado, acampan allí y terminan quedándose. Los conformistas tienden a ver el cambio como un problema, más que como una oportunidad.

El grupo final lo conforman "Los escaladores". Ellos son personas comprometidas con alcanzar sus metas, vivir sus sueños y ser todo lo que puedan ser. Entienden que el éxito no es un punto en la distancia, sino una travesía, un proceso. Pueden caerse a medida que van por su camino, pero continúan parándose y caminando, escalando más y más alto. Los escaladores son personas que piensan positivamente y que actúan de la misma manera. Continúan su camino a pesar de los obstáculos. Los escaladores ven los obstáculos y los contratiempos como una molestia, pero como una parte natural del proceso. Están dispuestos a enfrentar los problemas para poder llegar a su meta. Los conformistas y los escaladores se deben encontrar en el mismo lugar durante los tiempos de reto. Los primeros ven el campamento como su hogar, mientras que los segundos lo ven como el campamento base, un sitio temporal desde el cual pueden continuar su ascenso.

Stoltz dice que los conformistas que se quedan demasiado tiempo en el campamento, comenzarán a atrofiarse y a perder su habilidad de escalar y se harán más lentos y débiles con el paso del tiempo. Por otro lado, los escaladores, se hacen más y más fuertes a medida que continúan escalando. Crecen desde sus retos y se dan cuenta que la adversidad realmente sí crea fuerza. Cultivan su fuerza a través de su voluntad de escalar en medio de la adversidad y, por lo tanto, tienden a ser líderes excelentes, como Mohatma Gandhi, Martin Luther King Jr., Winston Churchill, Franklin D. Roosevelt y Nelson Mandela. Los escaladores son gente dispuesta a luchar, a pesar de los obstáculos.

En el libro "El Coraje de Fallar", Art Mortell, el autor, habla del hecho de que aprendemos más del fracaso que del éxito. Mortell cuenta cómo toda la gente exitosa se da cuenta de que el fracaso es parte del éxito. Escribe: "Sin adversidad no hay crecimiento. La adversidad nos reta y nos empuja a acelerar el desarrollo de nuestro mayor potencial. La adversidad y las derrotas pueden convertirse en los catalizadores del éxito." Debemos estar dispuestos a pasar por, y crecer a través de los retos. ¡Debemos luchar para poder triunfar!

El vuelo es producto del esfuerzo

Había un niño pequeño caminando por el bosque y encontró la crisálida de una mariposa. La llevó a su casa para poder ver cómo salía de su crisálida. Se sentó y miró por varias horas cómo luchaba para forzar su cuerpo a través del pequeño hueco. Luchó y luchó y parecía estar pasando por un momento muy difícil. El niño decidió hacerle las cosas más fáciles, así que sacó su navaja y cortó una ranura en la crisálida para permitir que la pequeña mariposa saliera y ayudarla a volar. Cuando la mariposa apareció no se veía como una mariposa corriente. Su cuerpo estaba inflamado y sus alas pequeñas y dañadas.

El niño estaba desilusionado y confundido, así que corrió a llamar a su abuelo para que viniera a ver a esa mariposa extraña. Le contó cómo había tratado de facilitarle todo a la mariposa en apuros, cortando un hueco en la crisálida, y cómo ésta salió y no pudo volar. El sabio abuelo tomó al niño de la mano y le explicó que cuando la polilla está luchando por salir a través del pequeño hueco, en realidad está forzando los fluidos del cuerpo a las alas. Sin la lucha, las alas no pueden crecer. Sin la lucha las alas de la mariposa nunca serían lo suficientemente fuertes para volar, y sin vuelo, probablemente no sería capaz de sobrevivir. La moraleja de la historia es que el vuelo y la vida son la lucha. Sin retos y luchas nunca creceríamos ni alcanzaríamos todo nuestro potencial. ¡La vida y la lucha son inseparables!

Un día estaba realizando mi trote matutino y al lado corría un hombre mayor que había visto antes. Le dije: "Buenos días" y respondió lo mismo. Me preguntó cómo estaba y le dije: "Este ejercicio temprano en la mañana es una lucha" y me contestó: "Sí, lo es, pero ¡todo lo bueno trae su lucha!"

Mientras continuaba corriendo, me dije a mí mismo: "¡Eso es muy cierto! Todo lo bueno que he tenido alguna vez, vino con algún grado de lucha. Tuve que luchar para conseguir un contrato disquero en mi adolescencia. Tuve que luchar durante mis años universitarios cantando *jingles* y presentándome en clubes nocturnos. Cuando comencé a realizar conferencias, tuve que luchar para comenzar y construir mi empresa. He tenido diferentes tipos de luchas y cada logro fue el resultado de ellas.

Nido Qubein, el gran orador, autor y filántropo, dice: "La abundancia crece de la adversidad y la lucha."

Esto también es cierto en el caso nuestro: necesitamos los retos para crecer. Vivimos en una época donde la gente ejercita su cuerpo como nunca antes. La asistencia y membresía a los gimnasios continúa aumentando. Los que practican pesas y fisiculturismo saben que hay una correlación definitiva entre el tamaño de la pesa y el tamaño y la fuerza del músculo. Lo mismo sucede con la adversidad. Los retos pequeños crean músculos pequeños, mientras que los retos grandes crean músculos grandes. Debemos estar dispuestos a enfrentar la adversidad para poder crecer.

Primera parte

El poder de la visión

PRIMER PASO
PERSPECTIVA: REVISE SU VISIÓN ¿QUÉ VE? ¡PORQUE LO QUE VE ES LO QUE OBTIENE!

¿Hay algo peor que la ceguera?
¡Sí! Vista ¡pero no visión!

—HELLEN KELLER

¡El hombre sólo está limitado
por la audacia de su imaginación!

—AUTERE

¡Visión!

La mediocridad es un lugar y limita al Norte con el compromiso, al Sur con la indecisión, al Este con el pensamiento pasado, y al Oeste con la falta de visión.

—JOHN MASON

El punto de partida del éxito, el punto de partida para cambiar su vida y el punto de partida para convertir sus caídas en oportunidades para renacer, es la visión. Debe tener una meta y permanecer enfocado en ella. La visión es el primer paso en la misión de convertir su contratiempo en una preparación para una victoria aún mayor. Primero asegurémonos que entendemos qué es la visión.

La visión es una imagen de lo que es posible en su vida y su perspectiva o forma de ver la vida. Si usted tiene visión en su vida, tiene una perspectiva de su destino y de lo que está buscando. Las Escrituras dicen: "Donde no hay visión, la gente perece." Note que no dice: "¡Donde hay visión la gente perecerá!" Debe tener visión en su vida para poder convertir sus contratiempos en oportunidades.

Es importante definir la palabra *visión*. Primero, mucha gente piensa que visión significa vista. ¿Necesita usted la vista para convertir un contratiempo en una victoria aún mayor? ¡La respuesta es No! Hellen Keller lo confirmó. Ella era ciega y sorda y sin embargo se convirtió en una de las mujeres más grandiosas de todos los tiempos. Stevie Wonder probó que no se necesita la vista para ser grandioso. Creció ciego y pobre en Saginaw, Michigan, pero tuvo la visión de ser grandioso e intentó una y otra vez hasta que fue descubierto y contratado por Motown Records. Así pasó a ser uno de los músicos más prolíficos de este siglo. Ray Charles también tuvo un contratiempo cuando empezó a perder la vista a los cinco años de edad. Su mamá no tenía el dinero para llevarlo a un especialista y con el paso del tiempo, se quedó ciego. Pudo haberse rendido, pero decidió luchar por su sueño. Pasó a ser un icono americano.

José Feliciano nació pobre y ciego en Puerto Rico. Algunos de los vecinos le sugirieron que consiguiera una taza y pidiera limosna, como se suponía que debían hacer las personas ciegas, pero ¡José se negó! Encontró una guitarra vieja y se enseñó a sí mismo a tocarla. Practicó día y noche, noche y día, a veces hasta que sus dedos sangraban. Hoy, José Feliciano es considerado como uno de los más grandes guitarristas de todos los tiempos. Escribió una canción que cantamos todas las navidades, llamada "Feliz Navidad". Usted no necesita la vista para convertir la adversidad en la preparación para renacer

El primer tipo de visión es la vista, el siguiente tipo es la retrovisión, que es capaz de mirar los eventos pasados. ¿Es necesaria la retrovisión para convertir la adversidad en un renacer? ¡No! Es bueno tener retrovisión, para que usted no repita los errores del pasado, pero desafortunadamente la mayoría de las personas que comienzan a enfrentar su pasado se quedan atrapadas en él y no pueden sobrepasarlo. Permanecen en lo que la gente les dijo hace diez años o lo que les pasó durante su infancia. Creo que *el pasado es un lugar de referencia, ¡no un lugar de residencia! Hay una razón por la cual su auto tiene un parabrisas grande y un espejo retrovisor pequeño. Se supone que usted debe mantener su vista hacia donde va, y sólo ocasionalmente revisar dónde ha estado... ¡De otra forma, se va a estrellar!*

Me encanta esta cita sobre la vida: *La diferencia entre la vida y la escuela es que en la escuela usted recibe la lección y después la prueba. En la vida usted recibe la prueba y luego recibe la lección."* Sin una prueba no puede haber testimonio. Como dijo Kierkegaard, el filósofo alemán: "*La vida a menudo se entiende al revés pero debe ser vivida hacia adelante.*" Aprenda del pasado pero no habite allí.

El siguiente tipo de visión es el discernimiento, que es el poder de ver dentro de una situación, y llegar a la naturaleza interna de las cosas. Es esa "pequeña voz dentro de nosotros." Algunos la llaman intuición, que significa maestro interno, y otros lo llaman perspectiva. Veo el discernimiento como una combinación de nuestras experiencias, lógica, perspectiva y sensibilidad de nuestra voz interna, así como de una voz mayor que nos guía desde dentro. Desgraciadamente, la mayoría de las personas han bajado el volumen y no escuchan su voz interior. Escuchan a cínicos y a gente negativa en el exterior.

A veces necesitamos recordarnos a nosotros mismos nuestras victorias y dejar de estar mirando nuestras faltas. Escuche la pequeña voz interior que dice: "Mire, usted ha tenido algunos éxitos y está destinado a cosas aún mejores. Si lo hizo antes, puede hacerlo ahora. ¡Sólo trate! ¡Usted puede hacerlo!" Súbale al volumen a su voz interior y dése cuenta que usted puede hacer cosas increíbles si tan solo intenta.

¡El último tipo de visión es la previsión! Prever es la habilidad de ver hacia el futuro, no como lo hace una adivina, sino como una persona que está creando lo que ve en su mente. La previsión está relacionada con el destino y la determinación. Es la visión que permite que usted vea más allá en el camino y crea que lo que ve es posible. Las Escrituras dicen que la previsión está conectada a la fe donde usted puede "llamar hacia usted esas cosas que no son, como si lo fueren". La previsión, mezclada con el discernimiento, crea una fuerza poderosa llamada sueño; y los sueños son las semillas del éxito. Debe estar dispuesto a soñar y a creer que estos sueños son posibles, sin importar cuántos digan que son imposibles. El discernimiento y la previsión juntas son las claves para llegar al poder de la visión y para comenzar el camino del regreso.

Perspectiva

Cada experiencia crucial puede verse como un contratiempo, o como el comienzo de una nueva aventura maravillosa ¡depende de su perspectiva!

—Mary Roberts Rinehart

Algunas veces tendremos derrotas en la vida pero se pueden tener derrotas sin ser derrotado, se puede fracasar sin ser un fracaso. Los ganadores ven los fracasos y las derrotas como una simple parte del proceso para ganar.

—Maya Angelou

La perspectiva es una parte importante del concepto de visión. Perspectiva significa: ¿Cómo mira usted una situación? ¿Cómo la ve? ¿Lo hace como un problema o como una oportunidad? ¿La ve como un cambio, una opción, un nuevo comienzo o como el fin? ¿La ve como una entrada o como una salida? ¿La toma como el fin del camino o como un bache en él? ¿La vive como una adversidad que va a terminar, o como un contratiempo temporal? En otras palabras, ¿la ve como el final de la frase, o como una pausa breve en ella? ¿La ve como un contratiempo, o como una oportunidad para renacer? Estas son preguntas muy importantes que tendrán un gran impacto en su respuesta.

¿Qué perspectiva tiene usted de la vida? ¿Ve usted el vaso medio lleno o medio vacío? ¿Está acabando la noche o está comenzando el día? Cualquier perspectiva que usted elija tendrá un gran impacto sobre las decisiones que tome. Éstas determinarán las acciones que tomará, las que a su vez llevarán a los resultados que creará.

Algunas personas son capaces de usar la adversidad como una fuerza de motivación, lo que ayuda a fortalecerlos, mientras que otros permiten que la adversidad los aplaste y los limite. La clave es cómo ve usted la adversidad. Debe decidir tener y mantener una perspectiva positiva. "Su visión influye en su manera de ver el mundo exterior, y ésta determina sus resultados. Ahí es cuando usted comienza a darse cuenta que en sus manos está tener un renacer."

Donde usted encuentre una crisis, también encontrará una oportunidad. Napoleón Hill, el autor del libro clásico, "Piense y Hágase Rico", escribió: "Cada adversidad contiene en sí misma la semilla de una oportunidad equivalente". Debe estar dispuesto a ver esto y luego a dar los pasos para convertir esos momentos adversos en momentos emocionantes que definan su vida. La clave es *cómo* convertir esos momentos de adversidad para que usted también pueda sacar la victoria de las garras de la derrota.

¡Si no existieran los problemas, no existirían las oportunidades! El viejo dicho afirma que la clave del éxito es encontrar un problema y luego solucionarlo. A veces ni siquiera tiene que buscar un problema, éste lo encuentra a usted y crea un contratiempo. Cuando tiene un contratiempo también tiene que hacer una elección. ¿Lo ve como un contratiempo sobre el cual debe llorar, o lo ve como una oportunidad por la cual debe emocionarse? Realmente es su elección. El viejo adagio del destino dice: "La clave para el éxito es encontrar una necesidad y satisfacerla; hallar un problema y resolverlo." ¡Donde quiera que haya problemas también habrá oportunidades! Si no existieran los problemas no habría oportunidades.

Aún teniendo en cuenta los retos de la vida, yo mantengo que lo bueno es mucho más que lo malo, lo feliz más que lo triste, y el placer más que el dolor, pero depende de cómo elija verlos. ¿Desde qué perspectiva escoge verlos? La vida está llena de retos, pero también es una aventura maravillosa y hermosa. Desde el minuto en que usted nace hasta el minuto en el que muere, debe decidir en qué enfocarse. ¿Busca lo bueno o busca lo malo?

El poder de la perspectiva

Una gran compañía de zapatos envió a dos representantes de ventas a distintas partes de Australia para ver si podían negociar con los aborígenes. Uno de los representantes envió un mensaje diciendo: "Pérdida de tiempo, no hay negocio aquí. Los aborígenes no usan zapatos." El otro envió un mensaje: "Envíen más tropas, gran oportunidad de negocios aquí, ¡los aborígenes no usan zapatos!" Todo depende de cómo vea usted el vaso: ¿Está medio vacío o medio lleno? Esa es una pregunta que usted y sólo usted puede contestar. Y su perspectiva determina su respuesta. ¿Es una perspectiva positiva o es una perspectiva negativa?

Algunas veces un contratiempo vendrá en forma de una puerta de salida. Se verá forzado a dejar algo o a alguien y puede ser incómodo. Puede ser aterrador y doloroso porque tiene que dejar lo que usted quiere. Deberá cambiar y no sabrá qué resultará de estos cambios; todo lo que sabe es que le han mostrado el camino hacia la puerta. Debe ver esta situación desde una perspectiva positiva y decir: "¡Está bien!" Esto es lo que es ¿Por qué? *Porque, cada puerta de salida también es una puerta de entrada. Cuando usted abandona un lugar siempre está entrando en otro lleno de nuevas posibilidades y oportunidades.*

Puede enfrentarse a un futuro desconocido, y yo se que eso puede causar miedo, pero debe ser valiente. La valentía no es la ausencia de miedo, es continuar hacia adelante a pesar del miedo. Siga, vaya hacia adelante con valentía y dése cuenta que la vida es una aventura maravillosa para aquellos que están dispuestos a vivirla al máximo. Sólo recuerde que cada salida es también una entrada a un nuevo lugar, que tiene nuevas posibilidades y oportunidades.

El miedo a lo desconocido

Había un hombre que estaba parado en frente de un pelotón de fusilamiento y se le concedió un último deseo. El capitán de la guardia se acercó y le dijo que podía escoger: podía ser fusilado o podía entrar a la cueva que estaba lejos, en la oscuridad, más allá del pantano y de los bosques. Él miró, vio la cueva y preguntó: "¿A dónde lleva?" El capitán de la guardia dijo: "¡Nadie sabe!". El hombre volvió a mirar una y otra vez, vio el pantano desagradable, los bosques oscuros y estaba tan asustado que dijo: "¡Disparen!"

Después, un joven soldado preguntó si podía ir a investigar qué había dentro de la cueva. El capitán se estremeció y dijo: "Es su vida, ¡pero yo no lo haría si fuera usted!" El joven soldado fue hacia la cueva. Se arrastró a través del pantano y caminó en la oscuridad, llegó a la cueva, entró y descubrió que el otro lado llevaba hacia la libertad, la hermosa libertad. *La moraleja de la historia es que la mayoría de las personas prefiere conformarse con lo malo conocido que con lo bueno por conocer.*

Recuerdo haber tenido obstáculos en el pasado que se veían como montañas imposibles de pasar, pero tras haberme sobrepuesto a ellos se veían más como pequeñas colinas. Yo creo que todos experimentamos lo mismo, si estamos dispuestos a mirar hacia atrás y de forma objetiva. Piense en los problemas de su vida en el pasado, o simplemente en experiencias de vida que tuvo que pasar, como ir al colegio o a la universidad. Pudo parecer una gran cosa antes de comenzar, pero fue mucho más pequeña después de haber terminado.

Me gusta esta cita de Sidney J. Harris: "Cuando escucho a alguien quejarse de que 'La vida es dura', siempre estoy tentado a preguntar: "¿Comparada con qué?" Sí; la vida está llena de retos, pero también de posibilidades hermosas. Depende de su perspectiva. Busque lo positivo y dése cuenta de que un contratiempo no es el final del camino, sino sólo una curva en él.

Primer paso - Enseñanzas

1. Sin una visión la gente perece, pero con una visión la gente florecerá.

2. Se supone que el pasado es un lugar de referencia, no un lugar de residencia.

3. En el colegio usted recibe la lección y luego la prueba, mientras que en la vida usted recibe la prueba y luego la lección.

4. La vida debe ser juzgada hacia atrás, pero debe ser vivida hacia adelante.

5. Podemos tener derrotas sin ser derrotados.

6. Vea el contratiempo como una coma, no como un punto.

7. Si no existieran problemas no habría oportunidades.

8. Cada salida es también una entrada a un nuevo lugar lleno de nuevas posibilidades.

9. No se conforme con lo malo conocido cuando existe lo bueno por conocer.

10. Si busca lo bueno lo encontrará. Por lo tanto, decida tener una perspectiva positiva.

SEGUNDO PASO
RECONOZCA: ¡ES LA VIDA! ¡NO LO TOME PERSONALMENTE! ¡A VECES USTED ES EL PARABRISAS, A VECES ES EL BICHO!

¡Estos son los tiempos que ponen a prueba las almas de los hombres!

—THOMAS PAINE

Sí, estos son tiempos que ponen a prueba las almas de los hombres. Estos también son tiempos que ponen a prueba las almas de las mujeres, de los niños y las de los ancianos. Estos son simplemente tiempos de prueba. También lo eran los días antes de que usted naciera y también lo serán los días después de que muera. En otras palabras, "¡La vida es una prueba!" Sus padres tuvieron algunos tiempos de prueba y sus abuelos y sus bisabuelos también. Y usted va a tener tiempos de prueba. Antes de comenzar asegurémonos de que este punto esté claro: la vida es un reto. Fue un reto ayer, es un reto hoy, y lo será mañana.

Cada día que usted se despierte, se enfrentará a tiempos de prueba. Cada día que usted se despierte enfrentará un nuevo conjunto de retos. La primera línea del libro,

"El camino menos viajado", lo resume todo: "La vida es difícil... ¡punto!" ¡Y es verdad! La vida es difícil, la vida está llena de retos y es dura. Mientras usted viva tendrá algunos retos y problemas. Alguien dijo: "En la vida uno o tiene un problema, o acaba de abandonar un problema, o está en camino hacia un problema." ¡Esa es la vida!

Permítame dejar claro que aunque la vida es una prueba, también es hermosa, maravillosa y fantástica. Ofrece grandes posibilidades y retos maravillosos, lo cual es algo bueno. Sin retos, un bebé jamás aprendería a caminar y tampoco a correr. Sin retos jamás aprenderíamos a leer y a aprender nuevas ideas. Sin retos jamás creceríamos y nos estiraríamos. Sin retos no tendríamos a la mano los extraordinarios avances tecnológicos que hemos aprendido a valorar como una parte importante de nuestro estilo de vida: automóviles, aviones, computadores, televisores.

La vida está compuesta de altibajos, adentros y afueras, sol y lluvia. Ojalá usted encuentre más altos que bajos, más adentros que afueras, más días soleados que días lluviosos. Sin la lluvia no existiría el arco iris, y no habría plantas y comida. Con los retos viene la fuerza y el crecimiento. *La vida pasa sobre las olas y las olas son buenas. Si usted va a un hospital y en el electrocardiograma aparece una línea recta, está muerto.*

En todas las vidas habrá tiempos de reto y tiempos de adversidad; eso es bueno. Esos momentos pueden formarlo, o atraparlo y romperlo. Todos, y quiero decir TODOS, tendremos problemas y tiempos de retos. Y las reglas afirman de forma enfática: "Mientras usted esté vivo tendrá algo de placer y algo de dolor. Tendrá algo de sol y de lluvia. Tendrá subidas y tendrá caídas. Tendrá sonrisas y a veces, ceños fruncidos." Ésta es la vida: ¡A veces usted es el parabrisas, a veces es el bicho!

Cuando usted es el parabrisas es grande, fuerte e invencible y sin problemas. Una mañana hermosa, un día hermoso, un sentimiento maravilloso, y ¡todo está sucediendo a su manera! ¡Es el rey o la reina del camino! Cuando es el bicho, continuará encontrando obstáculos. Tiene un reto tras otro, un parabrisas o pared de ladrillo tras el otro, y un problema tras otro. Pero sólo porque tenga un día en el que es el bicho, ¡no significa que tenga que perder! Depende de su actitud y perspectiva.

Si usted es el bicho y tiene una perspectiva negativa, ve el contratiempo como ¡EL FIN! Se estrella contra el parabrisas, un obstáculo, un problema y ¡Sas! queda aplastado y quemado, se rinde y todo terminó. Sin embargo, si usted tiene una actitud y una perspectiva positivas, desarrolla algo llamado la "habilidad de rebote". Cuando se estrella contra el parabrisas ya no se aplasta y muere. Usted se estrella contra el parabrisas, después rebota, va hacia arriba y vuela. Cuando rebota del parabrisas es impulsado a una trayectoria más alta y comienza a volar a un nivel más alto.

La habilidad de rebote es una de las formas más importantes para combatir la adversidad en una preparación para obtener una victoria aún mayor. Algunos lo llaman habilidad de rebote y otros, habilidad de recuperarse y ajustarse a los retos y al cambio. La clave es que usted se recupere rápidamente del contratiempo y se niegue a permitir que lo mantenga derribado. Usted no se estrella, aplasta, quema y muere. Usted rebota y vuela hacia arriba. Para convertir sus contratiempos en oportunidades, debe tener la habilidad de rebote.

La bolsa bolo

Cuando era niño, mi hermano y yo teníamos peleas de boxeo y a veces terminábamos maltratados y agotados. Mis padres se cansaron de las peleas y decidieron canalizar nuestra energía en otra dirección. Compraron una Bolsa Bolo, una bolsa de plástico para golpear, que tenía un peso en la base y una cara cómica pintada en el frente. Cuando estaba inflada, se podía golpear tanto como uno quisiera. El truco era que debido al peso en la base y al estar llena de aire, cuando se le golpeaba ella siempre volvía a su lugar.

Mi hermano y yo le pegábamos a la bolsa durante horas tratando de derribarla. Sin importar qué tan duro le pegáramos, siempre se paraba nuevamente. Nuestros amigos jugaban con ella y se sorprendían porque se volvía a parar. Después de unas semanas de golpear la bolsa y sin lograr derribarla, nos cansamos y pronto encontramos otros juguetes. Ocasionalmente volvíamos y tratábamos de derrumbar la bolsa bolo, que fiel a su forma, continuaba rebotando.

Sin embargo, la pregunta permanece: ¿Cómo puede usted rebotar? Como todo lo demás: convirtiendo su adversidad en una preparación para renacer ¡Usted debe decidir! Debe decidir tener una actitud positiva y rebotar. No estoy diciendo que será fácil, porque no lo será. Le recomiendo que repita esta frase cada vez que la vida lo tumbe: "Puedo estar abajo por un momento, pero no estoy fuera. Quiero que el mundo sepa que rebotaré"

La Ley de Murphy

Todos sabemos que la Ley de Murphy significa que todo lo que puede salir mal, saldrá mal, en el peor momento posible. Murphy vendrá a visitarlos a todos en uno u otro momento. Él es el rey de los contratiempos. Crea contratiempos y se asegura que todos tengan alguno. Sin embargo, algunos reciben más de su parte porque hacen que Murphy se sienta en casa y no saben cómo hacer para que sepa que no es bienvenido (un hombre me dijo recientemente que Murphy estaba viviendo en una habitación de su casa). Murphy puede ser derrotado; se le puede botar de casa, haciendo su estadía muy incómoda.

Usted puede hacer su estadía muy incómoda, logrando que su misión de alterar su vida sea demasiado difícil, desalentándolo, haciéndolo trabajar y haciendo que busque una víctima más fácil. Es como la gente que utiliza un dispositivo antirrobo en su auto. Si el ladrón realmente quiere robarse el auto, probablemente lo hará. El dispositivo es un desaliento; lo hace más difícil y permite que el ladrón lo piense dos veces. Éste lo pensará, si de verdad quiere robar su auto, cuando hay otro automóvil al final de la calle que no tiene el dispositivo antirrobo. Usted debe desarrollar un sistema de desaliento para Murphy. Este sistema se llama persistencia, simple y llana persistencia. Usted debe permanecer en dirección hacia su meta, a pesar de Murphy.

Cuando Murphy se detenga y le lance una bola curva, debe persistir y tomar la decisión determinante de que simplemente no se rendirá. Entre más tiempo persista, más débil se hará Murphy.

Segundo paso - Enseñanzas

1. La vida es una prueba; por eso debe continuar tratando.
2. Las olas hacen la vida y las olas son buenas; en un electrocardiograma una línea recta significa que ha muerto.
3. Desarrolle la ley de rebotar y volar en una mayor trayectoria.
4. Rompa la Ley de Murphy. Continúe hacia adelante.
5. Usted y Dios hacen una mayoría.
6. Tenga fe, concéntrese, termine.
7. No se deje intimidar por los obstáculos.
8. Aprenda nuevas formas de ganar.
9. No lo tome personalmente. Si experimenta un tropezón en la vida olvídelo y continué su camino.
10. ¡A veces debe romper la Ley de Murphy!

TERCER PASO
¡CONCÉNTRESE EN SU META! SI EL SUEÑO ES SUFICIENTEMENTE GRANDE, ¡LOS PROBLEMAS NO IMPORTAN!

¡Nada jamás construido se irguió a tocar los cielos a menos que alguien soñara que debía creer que podía y tuviera la voluntad de que tenía que hacerlo!

Todos los hombres sueñan, pero no de igual forma. Esos hombres que sueñan en la noche en los recesos polvorientos de sus mentes, se despiertan y encuentran que era simplemente vanidad. Pero esos que sueñan durante el día son los peligrosos, porque sueñan con los ojos abiertos, ¡para asegurarse de que sus sueños se harán realidad!

—T. E. LAWRENCE

El siguiente paso para convertir la adversidad en una preparación para renacer es que debe enfocar sus energías en sus sueños, en su visión, en sus metas. Debe tener visión y metas, y debe darse cuenta que son diferentes. Una meta es algo en lo que uno trabaja mientras una visión es algo que trabaja en uno.

Tiburones

Para poder alcanzar sus metas y vivir sus sueños, usted debe estar motivado. Hay dos tipos de motivación: la inspiración y la desesperación. La mayoría de personas usualmente permite que la desesperación los motive. Sólo se motivan cuando están acorralados contra la pared y no tienen más opción. ¿Qué pasaría si estuvieran motivados todos los días? El siguiente poema lo dice mejor.

La mayoría de personas no sabe qué tan rápido puede nadar, hasta que hay tiburones persiguiéndolos. Pero el que logra el éxito en la gran carrera de la vida es aquel que marca su ritmo de forma inteligente. Su ritmo no se marca por los requerimientos del miedo, su nado es resultado de su deseo. Cuando se enfrenta con el océano de la decisión, ¿está usted guiado por el miedo o por la visión? ¿Ha resuelto sus metas? ¿Está tratando de llegar a puntos altos? ¿O todavía está esperando a ver los tiburones? ¿Es inspiración o desesperación lo que usted necesita para vivir sus sueños? ¡Depende de usted!

—AUTOR DESCONOCIDO

Hace algunos años tuve la oportunidad de pasar un día junto a un multimillonario, quien es el rey de las redes de mercadeo. Él era un conductor de camiones que construyó una red de distribución multimillonaria. Fue uno de los días más intrigantes de mi vida. Aprendí mucho acerca del éxito y mucho sobre cómo sobreponerse al fracaso.

Él compartió historia tras historia sobre el poder del pensamiento positivo y el poder de la adversidad para llevarlo a uno a crecer y ser la clase de persona que puede ser, si está dispuesto a soñar y a luchar por el sueño. También habló de los contratiempos y de cómo crecer a partir de ellos. Durante nuestra conversación dijo algo que nunca olvidaré: "A medida que uno avanza hacia su sueño tendrá problemas y dificultades, pero si el sueño es suficientemente grande, los problemas no importan". Esto me encantó. Si el sueño es lo suficientemente grande los problemas no cuentan!

Con el paso del tiempo leí su libro, "No permitas que nadie robe tu sueño", y aprendí más sobre su filosofía acerca de los sueños y el éxito. He aquí algunas de sus citas clásicas:

Algunos dicen: "El éxito es duro, es tan duro." Y en verdad es duro. Por lo tanto, usted debe estar dispuesto a luchar por su sueño, luchar duro por éste, y darse cuenta de que a medida que lucha, se hace más fuerte. Puede ser derribado, pero continúe levantándose y continúe luchando. ¡Aquellos que se niegan a perder, rara vez lo hacen!

La paradoja de la vida es que el éxito se construye sobre inconvenientes, nunca sobre lo que es conveniente. Aquellos que están dispuestos a luchar y crecer de ello, ganan. ¡Los que no, pierden!

¡La lucha crea ganadores! Michael Jordan y George Foreman son ganadores que no tuvieron miedo de dejar que la gente los viera luchando, para verlos ganar. ¡Si usted quiere ser un éxito no debe temerle al fracaso; debe aprender a crecer de él.

Los pensamientos valen a centavo la docena... ¡pero la persona que los pone en práctica no tiene precio!

Hasta que aprenda a manejar su dinero, su tiempo y su forma de pensar, ¡nunca logrará nada de valor! ¡Los logros son una elección!

La mejor forma de construir su futuro es construirse a usted mismo. ¡La mejor forma de construir su compañía es construir a su gente!

Todos los hombres son hechos por ellos mismos. ¡Sólo los exitosos están dispuestos a admitirlo!

Cuente sus bendiciones, más que sus problemas; siempre luche por sus sueños, y recuerde: si el sueño es suficientemente grande, los problemas no importan.

Si el sueño es suficientemente grande los problemas realmente no importan. No podía dejar de pensar sobre esta cita. De nuevo en casa reflexioné acerca de ella y me di cuenta que era realmente muy cierta. Si el sueño es suficientemente grande y usted desea que se convierta en realidad, los problemas realmente no importan, son simplemente inconvenientes. ¿Será fácil? ¡NO! Será duro. Será difícil. Será un reto, pero si el sueño es suficientemente grande y usted lo quiere lo suficiente, sucederá.

¿Cómo va a hacer realidad su sueño si usted no tiene uno? Tener una visión para su vida, saber hacia donde va, es un paso crítico para convertir la adversidad en la preparación para una victoria aún mayor. Una cosa que debe hacer cuando tiene un contratiempo es preguntarse a usted mismo, "¿Qué es lo que quiero lograr y a dónde es que quiero ir?" Si sabe hacia dónde va, es más apto para concentrar sus energías en alcanzar ese destino. Imagínese que va hacia el trabajo una mañana y cuando sale de su casa tiene una llanta pinchada. ¿Se rinde? ¡No! Porque sabe a dónde quiere ir y lidiará con este contratiempo para poder llegar a ese destino.

Después de reparar la llanta, usted comienza su viaje al trabajo, pero llega a una calle dónde hay un tubo de agua roto, lo que crea un desvío. ¿Se rinde y se devuelve a casa? ¡No! Porque sabe a dónde quiere ir, así que toma el desvío y continúa hacia su destino. Puede verse a usted mismo llegando a ese destino y los contratiempos son sólo eso, un contratiempo, una curva en el camino. Si usted conoce su destino, los contratiempos son sólo desvíos. Usted sabe que hay que pasar por encima de ellos, alrededor de ellos, o si es necesario atravesarlos, pero usted no para hasta llegar a su destino.

El poder de las metas se ilustra mejor mirando una hormiga. Las hormigas miran hacia el futuro esperando los retos; sin embargo, permanecen concentradas en la meta y están determinadas a alcanzarla. Si usted mira una hormiga de cerca, verá que es una criatura increíble porque nunca se rinde. Si ve a una hormiga que va en su camino y le pone una hoja, un palo, un ladrillo, o cualquier cosa, la escalará, irá por debajo, alrededor y hará lo que sea necesario para llegar a su meta. Nunca parará ni se rendirá. Continuará moviéndose y tratando de alcanzar su meta. La única forma de detener a una hormiga y evitar que alcance su meta es matándola. El único momento en que una hormiga deja de tratar es cuando muere.

No sólo nunca se rinde, sino que además, una hormiga siempre se está preparando para el invierno. Se prepara y piensa constantemente acerca del mañana. Los saltamontes, piensan solamente en el presente. Piensan en el verano todo el verano, mientras que la hormiga piensa en el invierno todo el verano. Cuando llega el invierno, la hormiga es capaz de vivir con cierto confort mientras que el saltamontes sufre. La lección es que la hormiga trabaja diligentemente para prepararse para los tiempos difíciles que vendrán, porque, tarde o temprano, llegarán.

Deberíamos aprender una lección de la hormiga. Debemos trabajar diligentemente todos los días, y estar comprometidos a proponernos metas y a ir tras ellas. Debemos planear para el mañana. Después, no debemos rendirnos, sin importar qué obstáculos lleguen a nuestro camino, sin importar qué problemas nos resulten, o bajo que circunstancias nos encontremos. Nunca debemos rendirnos; debemos continuar persiguiendo nuestros sueños y luchando por alcanzar nuestras metas.

Debemos prepararnos para el futuro y pensar en las necesidades del invierno cuando aún estemos en verano; debemos planear y prepararnos para el mañana. Debemos guardar algo para un día lluvioso. Así como hay sol, habrá lluvia, y así como hay verano, va a haber invierno. ¡Habrá contratiempos! ¡Habrá retos! Trabaje duro, prepárese para los tiempos difíciles y sobre todo... ¡Nunca se rinda!

Las hormigas van hacia el futuro esperando retos y dificultades, por lo que ellas:

1. Saben lo que quieren y hacia dónde van.
2. Son persistentes y nunca se rinden.
3. Se fijan metas.
4. Planean.
5. Piensan acerca del mañana en vez de sólo pensar en el presente. Los saltamontes piensan en verano todo el verano, mientras que las hormigas piensan en invierno todo el verano.
6. Trabajan duro.
7. Trabajan inteligentemente.
8. Deciden continuar hasta obtener lo que quieren o mueren.

La hormiga es un ejemplo maravilloso de una criatura que está totalmente orientada hacia sus metas y que no permite que los contratiempos la alejen de su meta. Si podemos estar orientados hacia nuestras metas y permanecer concentrados en la visión de nuestras vidas, entonces de forma rutinaria ¡cambiaremos nuestras adversidades en la preparación para renacer.

La visión es el punto de partida para el éxito y el punto de partida para convertir una adversidad en la preparación para renacer. Sin embargo, debe tener en cuenta que donde haya una visión, existirán contratiempos. Donde haya una visión siempre existirá oposición: no que es posible que exista, sino que existirá.

Visión y oposición: Donde encuentre una, siempre encontrará la otra

Cuando tenga una visión, siempre tendrá oposición. Tendrá algún reto a la visión. Debe estar consciente de la oposición y prepararse para ésta, creyendo fuertemente y estando dispuesto a luchar por su visión. Cuando tiene una visión grande, los demás se sentirán incómodos y tratarán de apagarla ¡no permita que lo hagan! Einstein dijo: "Los espíritus grandes siempre se enfrentan a oposiciones violentas de las mentes mediocres." Debe tener la visión para ver, la fe para creer, el valor para hacer y la fuerza para resistir.

La reverenda Willette Wright es una amiga y una gran predicadora que compartió un mensaje en uno de sus sermones y dio en el blanco en términos del poder de un sueño. Ella cree que para poder ser exitoso debemos asumir la responsabilidad de: (1) Encontrar nuestros sueños (2) Concentrarnos en nuestros sueños y (3) Luchar por ellos. Encuéntrelos, concéntrese y luche por ellos.

Primero debemos encontrar el sueño, porque es difícil que un sueño se haga realidad si usted no lo tiene. Debe darse cuenta que algunos de sus amigos pensarán que está loco cuando comience a hablar acerca de su sueño y sobre cómo va a hacer cosas increíbles en su renacer, pero le imploro que, de todas formas, sueñe en grande. Cada gran invento, cada gran logro fue el resultado de un sueño grande en la mente de una persona y alguien probablemente se burló de ella, pero ella lo hizo de todas formas.

Todos se burlaron

Fui invitado al programa de radio de Eric St. James en Washington, DC, y durante la conversación mencioné que se debe tener una visión si se quiere cambiar la vida, pero que también se debe saber que la oposición llegará apenas tenga la visión. Expresé que la gente lo insultaría y que la vida le pondría todo tipo de obstáculos en su camino, pero que no debía desesperarse. Cada gran persona que ha pasado a través de los anales de la historia siempre ha tenido visión. Ha tomado decisiones difíciles. Ha actuado y tenido grandes deseos y siempre tuvo oposición.

Eric mencionó un libro que había leído, llamado "Todos Se Burlaron", de Ira Flatow. Es un libro acerca de la gente en la historia, que hizo cosas increíbles y tuvieron un éxito increíble y de los que todos se burlaron cuando hablaron acerca de sus sueños. Cada soñador tuvo una cantidad de gente que se burló de él, tratando de desanimarlo.

Se burlaron de Thomas Edison y lo llamaron loco cuando habló de su sueño de crear un foco de luz que no fuera una vela. Se burlaron de Alexander Graham Bell y lo llamaron loco, cuando habló de una máquina a través de la cual la gente pudiera hablar con personas en otros lugares. Se burlaron de Cristóbal Colón y lo llamaron loco cuando dijo que la tierra no era plana sino redonda y que estaba dispuesto a probarlo. Se burlaron de los hermanos Wright y los llamaron locos cuando dijeron que crearían una máquina voladora.

Se burlaron de Martin Luther King, Jr. y lo llamaron loco cuando habló de tener demostraciones de derechos civiles no violentas, y cuando dijo que quería tener una manifestación en las escaleras del Lincoln Memorial para compartir sus sueños con el mundo. Se burlaron de John F. Kennedy cuando dijo que el hombre llegaría a la luna antes del final de los sesentas. La lista sigue y sigue.

Todos los logros más grandes fueron considerados imposibles alguna vez. Todo el que ha hecho cosas increíbles siempre fue tras lo imposible. Se pueden burlar de usted y de sus sueños, pero no se desespere, usted se unirá a un prestigioso club de gente que sabe que el que ríe de último, ríe mejor. ¡Si usted no está dispuesto a hacer lo que es ridículo, no podrá lograr aquello que es espectacular!

Después, debe concentrarse en su sueño y mantenerlo al frente de todo en su mente. Escribí mi sueño en mi agenda y lo leía diariamente. Cada vez que abro mi agenda veo mi sueño porque lo he impreso en el separador de hojas. Recuerde que las Escrituras dicen: "Escriba la visión y hágala sencilla para que aquel que la lea pueda correr la carrera."

Finalmente, debe estar dispuesto a luchar por su sueño porque donde sea que exista un sueño encontrará un mata-sueños. Y entre más grande el sueño, más grandes los retos y los problemas, pero también ¡más grandes las recompensas! Es esencial que usted haga el compromiso de luchar. ¡Debe luchar hacia adelante, hacia atrás y de forma continua! Debe saber que para convertir una adversidad en la preparación para una victoria aún mayor, ¡usted debe primero encontrar su sueño, después debe concentrarse en él y luego debe luchar por lograrlo!

Podemos sostener y hacer crecer el sueño para que se convierta en una travesía exitosa, si estamos dispuestos a luchar por él. Debe estar dispuesto a luchar por sus metas, ¡porque la vida lo pondrá a prueba! Mi madre solía decirme que vale la pena luchar por cualquier cosa que valga la pena tener. Lo mismo es cierto en el caso de sus sueños. Si vale la pena tener el sueño, vale la pena luchar por él.

En últimas, usted debe tener un sueño y hacerlo grande, porque entre más grande sea, más grandes las recompensas. A medida que se propone convertir una adversidad en la preparación para renacer, recuerde que no será fácil. Habrá problemas, habrá retos, dificultades y oposiciones, pero ¡si el sueño es lo suficientemente grande, los problemas no importarán! Sueñe en grande, luche duro y no se preocupe si la gente se ríe, porque el que ríe de último, ¡ríe mejor!

Tercer paso - Enseñanzas

1. Si el sueño es lo suficientemente grande, los problemas no importarán. Por lo tanto, ¡sueñe en grande!

2. ¿Cómo va a hacer un sueño realidad si no tiene uno?

3. Sea como una hormiga. Continúe luchando hasta llegar a su meta o muera, lo que primero llegue.

4. Planee y prepárese para mañana. Piense en el verano todo el invierno y en el invierno todo el verano.

5. Sepa que donde encuentre su visión, también encontrará oposición.

6. Los ganadores no temen que la gente los vea luchar, para poder verlos ganar después.

7. Sí es duro; por lo tanto debe tratar duro.

8. Esté dispuesto a luchar por su sueño.

9. Si la gente no se está burlando de sus sueños, sus sueños no son suficientemente grandes.

10. Sólo aquellos que están dispuestos a intentar lo ridículo pueden lograr lo espectacular.

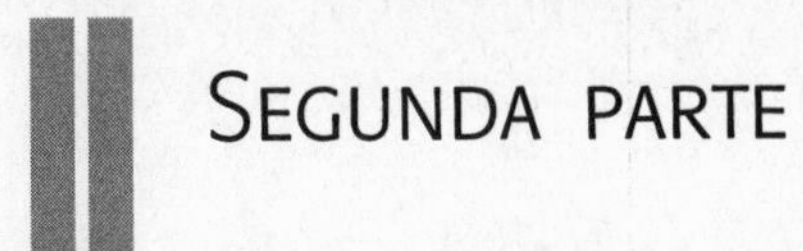

SEGUNDA PARTE

El poder de la decisión

CUARTO PASO
TOME DECISIONES: HA SUFRIDO UN CONTRATIEMPO ¿AHORA QUÉ VA A HACER AL RESPECTO?

Usted puede ser el diseñador de su vida o la víctima de sus circunstancias ¡depende de usted!

—REDENBACH

En los manuales del éxito y en las entrevistas que realicé para escribir este libro, encontré algo en común. La gente exitosa escoge serlo; toma una decisión consciente. Entiende que la decisión y la elección son partes integrales de la fórmula del éxito. El éxito es una elección y las personas exitosas eligen serlo porqué ellas saben que los contratiempos son parte del precio que se debe pagar por el éxito. Para ser exitoso, usted debe enfrentar los contratiempos y aprender cómo sobreponerse a ellos. Las personas exitosas entienden que a pesar de que no puedan controlar sus condiciones pueden controlar sus decisiones.

¡Usted debe entender el poder de la elección! ¡El éxito es una elección! Los libros lo han establecido, los oradores han hablado acerca de eso y la vida ha demostrado que es verdad. Para ser un éxito, usted debe escoger el éxito; pero el éxito no es fortuito, ¡es una elección! Rick Pitino, el entrenador de equipo de básquetbol de Los *Celtics* de Boston y antiguo entrenador de los Campeones Universitarios de 1996, Los *Wildcats* de Kentucky, escribió un libro llamado "El Éxito es una elección" que afirma que "el éxito no sucederá a menos que usted decida hacerlo suceder. Él éxito no es un golpe de suerte. No es un derecho divino. No es un accidente de nacimiento. ¡El éxito es una elección!

Ocurrirán muchas cosas que usted no puede controlar, pero, en últimas, el éxito es una cuestión de elección. La clave para convertir una adversidad en la preparación para una victoria aún mayor, es decidir primero. En cualquier aspecto de la vida lo primero que debe hacer es decidir. Desgraciadamente, la mayoría de la gente se niega a escoger y por tanto pierde. O usted decide qué hacer de su vida o la vida decidirá por usted.

Cuando tiene un contratiempo hay dos decisiones críticas que debe tomar. La primera es su perspectiva: cómo ve el contratiempo; la segunda es cómo responderá a él. Éstas son decisiones definitivas porque determinan cómo procederá para enfrentar el contratiempo.

¡Reacción *versus* Respuesta!

"Las circunstancias que rodean la vida de una persona no son realmente importantes. Lo importante es cómo la persona responde a dichas circunstancias. ¡Su respuesta es, en últimas, el factor determinante entre el éxito y el fracaso!

—BOOKER T. WASHINGTON

¿Reaccionará usted al problema, o responderá al reto? ¡Depende de usted! Los ganadores tienden a responder mientras que los perdedores tienden a reaccionar. ¿Cuál es la diferencia? Reaccionar significa que usted ve la situación desde una perspectiva negativa. Digamos que llevó a un amigo al hospital y le dieron un medicamento y luego el doctor sale y dice: "Su amigo tuvo una reacción al medicamento". Entonces usted sabrá que la medicina creó una experiencia negativa en su amigo. Sin embargo, si usted llevara a su amigo al hospital y le dieran un medicamento, y después saliera el doctor y dijera: "Su amigo está respondiendo al medicamento", usted sabría que la medicina creó una experiencia positiva en su amigo. Esto también es cierto en las experiencias de vida. ¿Reacciona o responde a ellas? ¿Va a reaccionar a este contratiempo o va a responder? La elección es suya.

Primera decisión: sufrió un contratiempo ¿ahora qué va a hacer al respecto?

El destino no es una probabilidad ¡es una elección!
No debe ser esperado ¡constrúyalo!

—William Jennings Bryant

La primera decisión cuando usted ha sufrido un contratiempo es cómo va a verlo. Es una adversidad, o una oportunidad para aprender? La siguiente decisión es ¿qué va a hacer al respecto? ¿Se va a rendir o a continuar? ¿Va a caerse o va a luchar? ¿Va a permitir que lo detenga o que lo motive? Es una decisión que usted debe hacer. Es una elección que usted, y sólo usted puede tomar, pero la elección tendrá un impacto profundo en los resultados que puede alcanzar.

¿Cáncer? ¿Y qué? Sólo es un diagnóstico ¡No una sentencia de muerte!

Estaba en casa trabajando en este libro y recibí una llamada de Les Brown, el gran orador y motivador. Estaba en Washington y acababa de visitar a su doctor, que lo había tratado de cáncer de la próstata, y no estaba lejos de mi casa. Le dije: "Les, ven hasta acá." Poco tiempo después sonó el timbre y ahí estaba. Pero él no era el Les Brown al que yo estaba acostumbrado. Estaba delgado y esbelto y se veía muy bien. Le dije: "Guau. Te ves muy bien. ¿Estás a dieta?" Él dijo: "¡No! Simplemente, ya no vivo para comer, ahora como para vivir y estoy disfrutándolo."

Les me contó que se había vuelto vegetariano y que hacía ejercicio todos los días. Estaba emocionado porque su doctor le acababa de dar un informe óptimo de salud y se sentía extasiado. Nos sentamos, reímos y bromeamos como siempre, y después comenzamos a hablar de la vida. La vida en términos de la salud, los retos de la vida y la fe, y las elecciones que se necesitan para conquistar esos retos.

La conté acerca del nuevo libro y cómo de verdad sentía que sería maravilloso tener su historia, en sus propias palabras, acerca de cómo convirtió su adversidad del cáncer y creó una nueva historia u oportunidad para renacer. Le dije: "Les, tú escribiste acerca de mí en tu último libro y a mí me gustaría escribir algo novedoso sobre ti y tu renacer del cáncer, para mi nuevo libro." Les dijo: "Hagámoslo. Quiero que la mayor cantidad de gente posible escuche acerca del hecho de que se puede vencer al cáncer." Dijo: "De verdad, creo que Dios me está usando para compartir con la gente el hecho de que los médicos dan el diagnóstico, pero Dios da el pronóstico. El cáncer es un diagnóstico, no una sentencia de muerte. ¡Puede ser vencido!"

Le pregunté a Les qué fue lo primero que hizo cuando le diagnosticaron cáncer. Él contestó: "Las mismas cosas que siempre hago cuando me enfrentó a situaciones desafiantes. Repaso mis pasos de poder, que son: Autoevaluación, auto aprobación, auto compromiso, y autosatisfacción. Usé estos pasos hace años cuando estaba luchando por vivir, hablando y mi ex administrador de oficina me desfalcó en miles de dólares. Usé estos pasos cuando tuve que dormir en el piso de mi oficina en Detroit porque había sido expulsado de mi apartamento. Usé estos pasos cuando mi programa de televisión fue cancelado y pasó a la historia como el programa de televisión mejor calificado y más rápidamente cancelado, porque me negué a tratar temas bajos y desaliñados. Los utilicé cuando tuve que pasar por la dolorosa pérdida de mi madre debido al cáncer de seno. Los usé cuando se rompió mi matrimonio con una mujer que amaba, Gladys Knight. Y usé estos pasos para sobreponerme al cáncer de próstata también."

Una vez comenzamos a discutir sus cuatro pasos me sorprendió que eran muy similares a mis pasos V.D.A.D.

Simplemente los llamábamos con nombres diferentes. La a*utoevaluación* tiene que ver con la perspectiva y la decisión. Antes de actuar, usted debe tener en cuenta que la vida es difícil y desafiante para todos, especialmente para aquellos que están tratando de lograr algo en sus vidas. Acto seguido, usted hace una evaluación enfrentando el hecho de que hay un problema, un reto en su vida, y no huye y entierra la cabeza como una avestruz. Después evalúe el impacto y mírelo objetivamente. A medida que continúa evaluando el problema, debe asignar prioridades; esto simplemente significa que debe tomar algunas decisiones. A veces será difícil, pero debe tomar decisiones de todos modos.

Le pregunté a Les: ¿Por qué te pasa a ti? ¿Qué dices acerca del hecho de que has tenido todos estos retos?" Entonces él respondió, como yo sabía que lo haría: "Es como la historia de la señora que tuvo un accidente y preguntó por qué tenía que pasarle esto a ella. El chofer de la ambulancia le dijo: "¿A quién sugiere que le suceda? Le pasa a todo el mundo, todos tienen su turno." Esto confirmó mi teoría del reconocimiento; los contratiempos son parte de la vida, le suceden a todos.

Después discutimos la a*uto aprobación*, que tiene que ver con la visión. Se trata de cómo debe verse a usted mismo y cómo debe determinar qué necesita hacer para sobreponerse a este reto. Primero, debe sentirse bien acerca de usted mismo y saber que usted es capaz de sobreponerse a este conflicto. Segundo, usted debe concentrar sus energías en su meta y en lo que debe hacer para conseguir la meta y permanecer positivo en la presencia del reto. Les dijo que estaba asustado cuando recibió el diagnóstico pero se dio cuenta que tenía que enfocarse en su fe más que en sus miedos, para sobreponerse a su problema.

Luego siguió el a*uto compromiso*, que se trata de la acción. Es acerca de tener la disciplina y el compromiso para continuar tratando, sin importar nada. Él tomó unas decisiones que eran incómodas, pero necesarias para convertir esta adversidad en la preparación para una victoria aún mayor. Sabía que debía perder peso, así que cambió su estilo de vida e hizo un compromiso para convertirse en vegetariano. También hizo un compromiso para ejercitarse diariamente (el único ejercicio que solía hacer era levantar el paquete de chocolates hasta su boca). Decidió ejercitarse cada día, aún cuando estuviera de viaje.

Finalmente, usó la a*utosatisfacción,* que es consistente con mi principio de poder llamado “deseo”. Es concentrarse en qué tanto lo desea, y en un doble enfoque en la fe y en el conocimiento de que Dios es bueno, todo el tiempo. Aún cuando tenga retos, confíe y tenga fe que Él jamás va a abandonarlo. Para sobreponerse a sus retos debe entender el poder de la oración y trabajar en su ser completo: físico, mental y espiritual. Se necesitan las tres partes para sobreponerse de forma efectiva a los retos de la vida y encontrar la satisfacción personal. La fe, la esperanza y el amor propio y hacia los demás lleva a la satisfacción. Después puede añadirle el deseo que lleva a la satisfacción y a su vez, al poder. Éste, convierte los obstáculos en oportunidades.

Les Brown comparte un mensaje para sobreponerse de todas las cosas a las que se ha sobrepuesto: Nacer en un edificio abandonado y ser adoptado con su gemelo cuando tenía sólo seis días de vida. Ser etiquetado como retardado mental, perder dos cursos y graduarse del colegio con calificaciones bajas, y nunca haber ido a la universidad para convertirse en uno de los oradores públicos más citados y mejor pagados del mundo. Comenzar su carrera como trabajador sanitario y convertirse en un locutor popular de radio, activista comunitario y después legislador del estado. Ser víctima del cáncer y vencerlo. Les Brown se sobrepone, y sabe cómo convertir la adversidad en una oportunidad para renacer. Como él expresa en su último libro: "El juego no termina hasta que usted gana".

¡Realmente no termina hasta que usted gana! ¡Debe recordar eso! ¡Nunca se rinda, siga tratando y usted puede cambiarlo! De hecho, debe recordar que mientras usted respire todavía tiene una oportunidad para cambiarlo todo. Siga viviendo, siga tratando, nunca se rinda y convierta un contratiempo en una oportunidad para renacer.

Decidí creerle a mamá

Otra gran historia de nunca rendirse y permanecer comprometido con su meta, es la historia de Wilma Rudolph, la gran atleta estrella y ganadora de tres medallas olímpicas. He aquí una breve síntesis de su historia y cómo usó la visión y la decisión para convertir sus retos en momentos de campeona.

Wilma Rudolph nació en Clarksville, en el estado de Tennessee. Fue la decimoséptima de diecinueve hijos. Su madre era una empleada doméstica y su padre un cajero de tienda. No tenían mucho dinero pero sí mucho amor. A los cuatro años, la pequeña Wilma contrajo poliomielitis y quedó inválida de una pierna. El dictamen de los médicos fue que nunca más volvería a caminar.

Wilma estaba destrozada porque le encantaba correr y jugar con sus hermanos y hermanas. En el largo regreso a casa seguía pensando acerca de lo que los médicos habían dicho y comenzó a llorar. Sus padres se sentaron a hablar con ella y su madre le dijo: "Nena, sé que los médicos dijeron que nunca más ibas a poder correr, pero no creo que tengan la razón. Creo que Dios te va a curar y que correrás de nuevo, y correrás rápidamente." La pequeña Wilma tomó la decisión en ese mismo momento y lugar. Ella dijo: "Oí lo que los médicos dijeron y lo que dijo Mamá, y ¡he decidido creerle a Mamá!"

Empezó a trabajar en sí misma. Primero hizo un esfuerzo por pararse, luego caminó, después lo hizo con mayor rapidez. Más adelante trotó y finalmente llegó a correr. Fue difícil e incómodo, aun quince años después, cuando se convirtió en la primera mujer estadounidense en ganarse tres medallas de oro en los Olímpicos.

La decisión y la fe son claves para convertir sus contratiempos en una preparación para cosechar victorias aún mayores. Debe decidir y luego creer en la decisión. Como el hombre al que le dieron seis meses de vida pero que decidió vivir veinticinco años más. Él creía que podía, creía que lo haría, ¡y lo hizo! La decisión y la fe son ingredientes poderosos para convertir sus contratiempos en una preparación para renacer.

Cada día rezo para que se me conceda sabiduría y valentía porque he encontrado que estas dos virtudes son necesarias para el éxito personal y profesional. La sabiduría es la habilidad de discernir y tomar buenas decisiones. Luego, se necesita valentía para actuar sobre esas decisiones, buscar los sueños y avanzar para convertirlos en realidad. La sabiduría para tomar decisiones sabias y la valentía para actuar en éstas, son mis oraciones constantes en el proceso para convertir mis contratiempos en momentos para renacer. Le recomiendo que rece para tener sabiduría y valentía.

Cuarto Paso - Enseñanzas

1. Recuerde que el éxito es una elección, no una probabilidad. Elija ser exitoso.

2. Decida por la vida, o la vida decidirá por usted.

3. No son las circunstancias las que importan, es cómo responde usted a ellas.

4. Elija responder y no reaccionar.

5. Los médicos dan el diagnóstico, Dios da el pronóstico.

6. Si le dan seis meses de vida, decida vivir veinticinco años más.

7. Recuerde, ¡el juego no ha terminado hasta que usted gana!

8. Mientras usted esté respirando, todavía tiene la oportunidad de triunfar.

9. Decida trabajar en usted mismo.

10. Rece todos los días para obtener sabiduría y valentía.

QUINTO PASO
¡NO ENTRE EN PÁNICO! ¡NO HAY PODER EN EL PÁNICO! ¡DECIDA PERMANECER CALMADO, PERMANECER RECOGIDO Y MANTENERSE POSITIVO!

¡No entre en pánico! ¡No hay poder en el pánico! ¡Decida permanecer calmado, permanecer sereno y mantenerse positivo!

¡La única "buena suerte" que tiene la mayoría de la gente es haber nacido con la habilidad y la determinación de sobreponerse a la "mala suerte"!

—CHANNING POLLOCK

Cuando usted tiene un reto en su vida puede que no sepa qué hacer, pero definitivamente, la única cosa que no debe hacer es llenarse de pánico. Usted no debe hacerlo, porque no hay poder en el pánico. La palabra pánico está tomada del griego "ahogarse", que significa cortar, separar, desconectar. Cuando usted se llena de pánico esto es exactamente lo que hace. Corta el aire que llega a su cerebro y si lo hace, no puede pensar correctamente, no puede evaluar todas sus opciones y no puede tomar buenas decisiones. Es claro que debe tomar decisiones sabias si quiere convertir sus contratiempos en oportunidades para renacer. Por esto no debe llenarse de pánico, porque éste crea un corto circuito en el sistema nervioso y no le permite tener pensamientos racionales. De hecho, el pánico realmente lo enloquece.

La historia nos ha mostrado múltiples ejemplos de gente que se llenó de pánico, y lo perdió todo. Durante la gran caída del mercado bursátil de 1929, miles de personas se llenaron de pánico y se suicidaron, sin saber que la vida realmente continúa, y que si habían construido su fortuna una vez, la podían construir de nuevo. No se llene de pánico, especialmente no tome medidas extremas como el suicidio. El suicidio es una solución permanente a un problema temporal, y usualmente es el resultado del pánico.

En la obra de Broadway, *Annie,* hay una canción maravillosa llamada "Mañana" que dice que no importa cuáles problemas pueda tener hoy y que, sin importar cuáles problemas y retos pueda tener, debe tener fe y recordar que el sol saldrá de nuevo. Tenga fe y sepa que el mañana traerá un día y una oportunidad completamente nuevas para convertir los problemas y los contratiempos en victorias. Usted tendrá contratiempos pero, como dicen las Escrituras, "y luego pasó"... por lo tanto, los problemas no vinieron para quedarse. Puede tener algunas situaciones de viernes, algunos contratiempos mayores, pero recuerde siempre que el domingo la victoria segura está en camino. No se llene de pánico, porque ya viene el domingo y el sol saldrá mañana. ¡Simplemente continúe!

¡Mantenga una actitud positiva!

La fuerza de gravedad es un hecho, pero los aviones logran sobreponerse a ella cada hora de cada día.

—NEIL ARMSTRONG

¡Su actitud es más importante que los hechos!

—KEN MENINGER

Mugsy Bouges nació corto de estatura, pero quería jugar baloncesto profesional, y lo hizo. Roger Crawford, el gran orador, autor y jugador de tenis semi-profesional, nació sin manos y con una sola pierna, pero creía que "únicamente era un inconveniente." Él dice que no puede comer con palitos chinos o tocar con estos el piano, pero ha pasado a ser un campeón de tenis nacional, así como un orador conocido mundialmente y autor del *bestseller* nacional "¿Qué tan alto puede rebotar?". Él entiende que es su actitud, no su aptitud lo que en últimas determina su altitud.

La actitud es una elección. Es una decisión. ¡Decida tener una actitud positiva! Como dice Dennis Brown: "La única diferencia entre un buen día y uno malo es su actitud." Debe elegirlo. Todos podemos obtener felicidad a corto plazo, aún cuando tengamos una mala actitud. Podemos comprar un carro, conseguir un trabajo o conocer a alguien que sea nuestra pareja ideal y seremos felices... por el momento. Para poder mantener la felicidad y sostenerla, debe desarrollar una actitud positiva, porque el automóvil se volverá viejo y eventualmente necesitará mantenimiento; el trabajo puede cambiar y cambiar rápidamente y la pareja ideal puede convertirse en el señor o la señora "¡no tan ideal!" Para poder sobreponerse a los retos y problemas de la vida, es esencial que usted tenga una actitud positiva, mental y emocionalmente. Necesita una actitud mental positiva para poder pensar de forma positiva y una actitud emocional positiva para poder actuar de forma positiva.

Con una actitud positiva usted puede encontrar algo bueno en lo malo, y algo de felicidad en la tristeza. Con una actitud positiva usted puede esperar que vengan cosas buenas por su camino y así las atrae. Con una actitud positiva usted tiende a ser más entusiasta acerca de la vida y así la vida será más entusiasta acerca de usted. ¡Con una actitud positiva usted simplemente maneja mejor los problemas!

Todo tiene que ver con la actitud. Debe tener una actitud positiva. ¿Y cómo obtiene una actitud positiva? Usted decide hacerlo. Es una decisión. Es una elección. Usted no puede controlar todo lo que le suceda. Usted no puede controlar lo que pasa a su alrededor, pero puede controlar lo que pasa en su interior. Elija tener una actitud positiva.

Mantén positivas mis palabras, porque mis palabras se hacen comportamientos.
Mantén positivos mis comportamientos, porque mis comportamientos se hacen hábitos.
Mantén positivos mis hábitos, porque mis hábitos se hacen mis valores.
Mantén positivos mis valores, porque éstos se hacen mi destino.

—MAHATMA GANDHI

¡Sus entradas determinan sus salidas!

"Usted es lo que come." Eso es lo que dicen todos los libros de dietas acerca de su salud. Y en el campo de los computadores existe esta expresión, GIGO, que significa, "¡basura adentro, basura afuera!" (*garbage in, garbage out*). Lo mismo se aplica a la vida: usted es lo que pone en ella. El autor Dennis Waitley, dice que si usted toma una naranja y la exprime saldrá ¡Jugo de naranja! Si usted exprime una uva, ¿qué saldrá? ¡Jugo de uva! ¿Por qué? Porque cuando se aplica presión sale la verdadera esencia interna. Lo que sea que usted ponga en su mente es esencialmente en lo que se convertirá, por eso debe hacer un compromiso de ponerle información positiva, diariamente. La vida nos arrojará retos cada día y puede aplicar una presión extrema y es ahí cuando lo que entra se hace demasiado, especialmente si usted no tiene una base sobre la cual enfrentar los retos. Es fundamental que tenga mucho cuidado con lo que entra a su mente y a su espíritu. Debe ser cuidadoso y no permitir que su mente y espíritu se infecten con influencias negativas. Todo se resume en la actitud. Decida tener una actitud positiva.

¡La actitud es todo! No se asfixie ¡Aligérese!

Mi amigo Keith Harrell escribió conmigo un libro llamado "Sólo lo mejor en el éxito". Keith tiene una gran historia acerca de cómo sobreponerse a los contratiempos y convertirlos en victorias. Keith trabajó en la IBM durante catorce años y esperaba estar allí hasta jubilarse. Sin embargo, una tarde de viernes, Keith y 650 de sus colegas fueron convocados a una reunión especial. En la reunión les dijeron que la IBM iba a anunciar su primer despido masivo en sus sesenta y cinco años de historia. Les dijeron que el 80% de esos empleados se iría en los siguientes tres meses.

Keith me comentó que en ese momento el miedo y la incertidumbre reinaban en el salón; la ansiedad estaba asfixiando a la multitud, mientras algunos estaban temblando y enfermándose físicamente. Después del anuncio, Keith saltó y dijo: "¡Tengo una pregunta!" Le dijeron: "¿Cuál es su pregunta, joven?" Keith contestó: "Bueno, señor, una vez se haya ido el 80% ¿puedo tener una oficina más grande, una con ventana?" El cuarto irrumpió en risas. Keith dice que se dio cuenta que el humor era necesario en ese momento para ayudar a las personas a agarrar la realidad y a no derrumbarse. Un buen amigo le pegó un codazo y dijo: "Oye Keith... señor positivo, ¡tú sabes que probablemente serás el primero en irte!" Y lo fue. Fue despedido de un trabajo del cual pensó que nunca sería despedido, un trabajo del cual planeaba retirarse. ¡Tuvo un gran contratiempo!

Keith no se derrumbó. Había estado leyendo libros positivos y escuchado las grabaciones de motivación y tenía una actitud positiva. Keith tomó esa actitud positiva y la mezcló con una aptitud positiva. Comenzó a trabajar en su sueño de ser un conferencista y entrenador, y decidió compartir con otros cómo lidiar con el cambio con una actitud positiva. Pasó a construir una compañía de discursos de motivación y entrenamiento, de muchos millones de dólares. Es el autor del *bestseller*

"La Actitud es Todo", y es bien conocido en las salas de juntas a través del país como "El señor súper fantástico" debido a su sa-ludo a todas sus audiencias, donde dice: "Cuando la gente le pregunté cómo está, sólo diga: ¡Súper fantástico!"

Una de las cosas más importantes respecto a su actitud es la gente con la que se asocia. Debe tomar una decisión para dejar de estar con gente negativa, de mente pequeña, porque ellos envenenarán su pensamiento de posibilidades y evitarán que convierta su contratiempo en una victoria.

Gente con incapacidad para ver las soluciones

Una de las claves para sobreponerse a los contratiempos es mantenerse alejado de la gente negativa que tratará de convencerlo de no levantarse y vivir sus sueños. También debe juntarse con gente positiva que le dé ánimo. Muchas veces cuando usted sufre un contratiempo tendrá amigos y familiares que tratarán de convencerlo de no volver a tratar. Ellos dirán: "¡No trates de hacer eso! ¡Sabes que acabas de tener un contratiempo y será doloroso si no lo logras!" O dirán: "La tía Susie trató de hacer eso y no lo logró. No trates, ¡será doloroso si no lo logras!"

He encontrado que la mayoría de las personas que tratan de convencerlo de no ir tras su sueño no están tratando de ser malos de espíritu. Sólo ocurre que ellos sufren de incapacidad para ver soluciones. Como no les sucedió a ellos o a alguien que ellos conozcan, ¡piensan que no le puede suceder a usted! Nada es más grato que ver a alguien que dice que no se puede hacer y es interrumpido por alguien que lo está haciendo.

Decirle a la gente que ama, que deje de tratar cuando se cae, es lo mismo que decirle a un bebé: "No trates de caminar más. Te caíste, entonces quédate en el suelo. ¡Será doloroso!" Claro que será doloroso, pero sin caerse el bebé nunca aprenderá a caminar. Si no está dispuesto a caerse, es realmente difícil que sea capaz de tener éxito.

Michael Jordan, de quien se dice que ha sido el mejor jugador de baloncesto de todos los tiempos, habló en un comercial de televisión acerca de sus fracasos y como éstos fueron la razón de su éxito. Él dijo: "He errado más de nueve mil lanzamientos en mi carrera. He perdido casi trescientos juegos. En veintiséis ocasiones me han confiado el lanzamiento que podía ganar el juego... y he errado. Y he fallado una y otra vez en mi vida. Y por eso es que... logré ser un éxito." Es por su disposición a fallar, su disposición a asumir riesgos, que él es capaz de ser exitoso.

Decida estar más dispuesto a ganar que temeroso a perder. Es una elección. Decida obtener y mantener una actitud positiva; es una elección. Recuerde que la gente con actitud positiva atrae más bienestar hacia ella, que las personas con actitudes negativas. Elija no preocuparse, elija ser positivo, permanecer calmado, sereno y conectado. Como cantó Bobby McFerrin: "¡No se preocupe, sea feliz!" ¿Cómo? Elija hacerlo, ¡es una elección!

¿Por qué preocuparse?
Enviado por Janice Krouskop

Sólo existen dos cosas por las cuáles preocuparse:
o usted está bien o usted está enfermo.
Si está bien, no hay nada de que preocuparse.
Si está enfermo, hay dos cosas por las cuáles preocuparse:
o usted mejorará o usted morirá.
Si se mejora, no hay nada de que preocuparse.
Si muere, hay dos cosas por las cuáles preocuparse:
o usted irá al cielo o usted irá al infierno.
Si usted va al cielo, no hay nada de que preocuparse,
si usted va al infierno, bueno... ¡por qué preocuparse ahora! ¡Es demasiado tarde!

—AUTOR DESCONOCIDO

Quinto paso - Enseñanzas

1. No entre en pánico. No hay poder en el pánico.

2. Practique y háblese a usted mismo hasta estar calmado.

3. No vuelva todo horrible y catastrófico; deje de añadirle pérdida a la pérdida.

4. Cuando tenga situaciones de "viernes", recuerde que el "domingo" está en camino.

5. Sin importar qué tan malas estén las cosas hoy, mañana viene en camino. ¡Agárrese fuerte!

6. Recuerde que su actitud es más importante que los hechos.

7. Como en el juego de cartas, decida ganar cualquiera que sea la mano que le hayan repartido.

8. No se tensione, aligérese.

9. Nada es más grato que ver a aquellos que dicen que algo no puede hacerse, y ver cómo otros los contradicen haciéndolo.

10. Asuma un riesgo y esté dispuesto a perder, porque sólo entonces podrá tener éxito realmente.

Tercera parte

El poder de la acción

En el capítulo anterior hablamos acerca del poder de preguntarse y cómo la Escritura que habla de "preguntarse, buscar y golpear", nos enseña no sólo acerca del poder de preguntarse, sino también de la importancia de actuar. Pregunte y recibirá, busque y encontrará, golpee y la puerta se abrirá para usted. Porque todos los que preguntan, reciben, y todos los que buscan, encuentran, y a todos los que golpean, la puerta les será abierta. Dése cuenta de que cada uno de estos puntos está conectado a una palabra de acción. Si usted actúa, obtendrá la bendición. ¡La mayoría de la gente no recibe porque no pregunta, no busca y no golpea! Aquellos que actúan son aquellos que obtienen. Debe actuar si espera obtener resultados.

Sexto paso
Actúe: puede tener luces, puede tener cámaras, ¡pero nada ocurrirá hasta que usted actúe!

En las arenas de la duda, descansan los huesos de millones. Aquellos que en el amanecer de la victoria se sentaron a esperar, y murieron esperando.

—Evangeline Wilkes

A veces debe pretender ser hasta que llega a ser. Al actuar desarrolla una nueva forma de pensar y esta nueva forma de pensar engendra una nueva manera de actuar.

—Willie Jolley

La siguiente cosa que necesita para convertir la adversidad en una oportunidad para una victoria aún mayor, es la acción. Una visión sin acción es una ilusión, y la acción sin una visión es confusión. Pero la acción con la visión, el deseo y la decisión pueden cambiar su vida y modificar el mundo.

Ya habíamos hablado de las hormigas y de su entendimiento innato de la importancia de tener una meta, del trabajo duro y de la persistencia necesarias para hacer esa meta realidad. Las hormigas entienden que el trabajo duro es un elemento decisivo en la misión de alcanzar sus metas. El trabajo duro es la clave. El siguiente es un fragmento de mi libro: "Sólo toma un minuto cambiar su vida", que habla sobre el trabajo duro.

El trabajo duro funciona

Recibí una llamada de mi amiga Amy Goldson, con una cita que recibió de su madre que le fue muy útil en su misión de convertirse en abogada. La cita simplemente afirmaba: "El trabajo duro da resultados." Eso es cierto. No hay ningún sustituto para el trabajo duro. El éxito no es el resultado de la suerte o la buena fortuna, es más el resultado del trabajo duro y la persistencia. En el libro de Proverbios se dice que: "El trabajo duro trae prosperidad, mientras que jugar trae pobreza!" Puede ser incómodo, pero también es absolutamente necesario trabajar duro y persistir, si usted seriamente quiere convertir la adversidad en una oportunidad de una victoria aún mayor. El único lugar donde el éxito viene antes del trabajo es en el diccionario.

William Penn escribió: “Sin dolor, sin palma; sin cruz, sin corona; sin espina, sin trono; sin agallas, sin gloria.” Janice Krouskop lo dijo también cuando afirmó: “Sin ambición uno no comienza nada, y sin trabajo duro uno no termina nada. ¡Por lo tanto esos que estiran su columna para alcanzar su hueso de la suerte harán que ocurran cosas!” Yo creo que eso lo dice todo: primero está la meta de qué es lo que quiere lograr, luego viene el trabajo duro seguido por la determinación y la persistencia.

La persistencia y la perseverancia son elementos esenciales en la misión de convertir una adversidad en un renacer. Parecería que este ingrediente casi no se menciona, pero permítame decirle que necesita ser mencionado una y otra vez. Necesita ser mencionado en la mañana, al mediodía y nuevamente en la noche; de hecho ¡necesita ser mencionado durante sus sueños! Persista... ¡Nunca se rinda!

W. Mitchell ejemplifica el poder de la decisión y el poder de elegir el éxito. Él es un amigo que me inspira constantemente. Escuché hablar acerca de él por primera vez por medio de una cinta de Zig Ziglar. Entonces escuché a Anthony Robbins hablar acerca de él y a muchos otros después. Lo conocí en la Asociación Nacional de Oradores y nos hicimos amigos. De hecho, escribió la introducción para mi último libro. Mitchell es una inspiración por su disposición de convertir los contratiempos en formas de renacer una y otra vez. Su historia es legendaria porque él es una persona que ejemplifica cómo convertir contratiempos en formas de renacer.

El hombre que no se dejaba vencer: W. Mitchell

W. Mitchell es un ejemplo de cómo convertir contratiempos en preparación para victorias aún mayores. Es llamado respetuosamente: "El hombre que no se deja vencer" porque nunca se rinde. Hace veinticinco años Mitchell era un estudiante que trabajaba medio tiempo como operador de cable en San Francisco. Entre el estudio y el trabajo, encontraba tiempo para manejar su nueva moto Harley Davidson por diversión. Vivía para aquellos momentos en que podía montarse en su moto y sentir el viento refrescante soplando en su cara.

Un día mientras estaba montando en su moto, Mitchell estaba cruzando una intersección y de pronto vio un camión pasándose el semáforo en rojo. El camión se estrelló contra él y lo derribó al piso. Cuando Mitchell yacía allí, agonizando, olió gasolina y se dio cuenta que estaba cubierto por ésta. De repente, hubo una explosión y la moto se encendió en llamas, y luego el fuego se esparció y pronto cubrió a Mitchell quien se convirtió en una antorcha humana y se quemó completamente de pies a cabeza. Perdió los dedos de las manos y los pies y quedó sin ningún parecido con el que había sido antes del accidente. Pasó por meses y meses de cirugías agonizantes y rehabilitación. Tuvo un contratiempo pero tomó una decisión: ¡él no se rendiría!

Terminó su educación y comenzó un negocio que pronto fue muy exitoso. De hecho, fue capaz de comprar un avión privado que él piloteaba. Su avión se convirtió en su pasión y pasaba todo su tiempo libre piloteando. Una tarde, mientras volaba el avión, comenzó a experimentar problemas en los motores. Mitchell intentó aterrizar pero perdió el control y se estrelló. Cuando se levantó del coma después de meses, encontró que ahora estaba paralizado de la cintura para abajo. Se sentó, se miró a sí mismo y vio a un hombre quemado que ahora estaba paralítico y forzado a vivir el resto de su vida en una silla de ruedas. Tuvo un contratiempo, ¡pero decidió no rendirse!

Mitchell comenzó a decir: "Uno no puede controlar lo que le pasa pero puede controlar lo que hace al respecto" Continuó luchando por su sueño y continuó haciendo la diferencia. Se ha convertido uno de los mejores motivadores del mundo. Es propietario de casas en Colorado, California y Hawai. Él realmente vive la vida al máximo. Vive la vida de la que habla. No es lo que le sucede a usted lo que cuenta, es lo que haga al respecto.

No se puede rendir; debe continuar luchando. Usted debe decidir en su mente que rendirse simplemente no es una opción. Debe ser parte de su constitución, algo que tiene pre-programado muy adentro. Rendirse no es una opción. Alguna vez escuché a una persona decir que: "Nada es más fuerte que una mente resuelta" y debe estar de acuerdo. Cuando usted decide, de forma absoluta y positiva, usted ha creado una fuerza poderosa. Resuelva hacerse imparable.

Desgraciadamente la mayoría de las personas nunca deciden realmente. Ellos piensan que pueden querer hacer algo pero no han decidido verdaderamente y así son fácilmente disuadidos por los retos y las circunstancias. ¿Estoy diciendo que si decide está garantizado que ganará en todo lo que haga? ¡No! No hay garantías en la vida, pero puedo decirle ¡si se rinde tiene garantizado que no va a ganar! ¡Si quiere sobreponerse a un contratiempo y convertirlo en una oportunidad, debe tomar la decisión predeterminada de que no se rendirá! ¡Simplemente no se puede rendir!

Para poder sobreponerse a los tiempos desafiantes y a las situaciones que la vida le presenta, es esencial que tome la decisión predeterminada de no rendirse nunca. Aquellas personas que han convertido sus contratiempos en oportunidades, siempre han tenido el compromiso de continuar, decidieron que rendirse simplemente no era una opción. Entraron en la pelea con confianza, determinación y persistencia. La confianza vino como resultado de su fe en ellos mismos. Estaba amarrada a su fe. Se dieron cuenta de que la fe es una parte esencial en cada historia de éxito.

¡Mandela! ¡Mandela!

Cuando los individuos se elevan sobre las circunstancias y usan los problemas para convertirlos en algo mejor, alcanzan la grandeza

—NELSON MANDELA

Nelson Mandela es una leyenda de sus tiempos y una de las mejores historias de alguien que entendió que la adversidad es la preparación para renacer. Era un joven abogado que fue encarcelado porque se negó a aceptar el *apartheid* –el injusto sistema de segregación racial que reinaba en su país, Suráfrica—. Estuvo en prisión durante veintisiete años y se le ofreció su libertad constantemente si hacía una declaración pública diciendo que aceptaba el *apartheid*, pero se negó. El gobierno de Suráfrica le ofreció dinero y privilegios, pero él se negó. Mandela fue liberado finalmente después de veintisiete años, pero ese no fue el final de su renacer increíble. Primero ayudó a orquestar el fin del *apartheid* en Suráfrica, y unos pocos años después se convirtió en el primer presidente negro de Suráfrica. ¡De prisionero a presidente! ¡Qué forma de convertir la adversidad en una preparación para una victoria aún mayor!

¡Sepa qué es No!

A veces usted tendrá contratiempos cuando la gente le cierre las puertas en su cara y le diga: "¡No!" Bueno, yo digo que un 'No', no es nada más que un "Si," esperando a llegar. A veces la gente simplemente le dirá que no porque no están muy seguros de qué tan serio es usted. A veces la gente dirá "No" porque es la cosa más fácil de decir. La gente dirá "No" y pensará que logrará que usted se rinda, que es lo que hace la mayoría de las personas. Sin embargo, aquel que consigue las cosas no permite que un "No" rompa su espíritu. Entienden que un "No", no significa que deba rendirse, a veces significa que debe tratar otra vez de una forma diferente. Entienda que la persistencia es la clave para cambiar un "No" por un "Si", porque ¡la persistencia siempre rompe la resistencia! ¿Qué es un "No"? No es más que un

"Si" esperando a llegar. ¿Es un contratiempo? ¡No. Es sólo un renacer!

La determinación es el paso siguiente. Muchas personas confunden las palabras "determinación" y "persistencia". Creen que son lo mismo, pero son bastante diferentes. La persistencia es acción, la determinación es actitud. La determinación es la actitud que le permite continuar, a pesar de los problemas, a pesar de los retos. Tengo una cita encima de mi escritorio, que afirma que: "¡El *bulldog* es una de las criaturas más determinadas de la naturaleza y su nariz está inclinada hacia atrás para que pueda continuar respirando sin abandonar la pelea!" Debemos ser como el *bulldog* y simplemente nunca rendirnos. Vuélvase confiado, determinado y persistente y aprenda a respirar.

Me gusta compartir con el público que la clave del éxito en cualquier situación es simplemente continuar, seguir tratando. El viejo dicho dice que "los ganadores nunca se renuncian y los que renuncian nunca ganan", y hay verdad en esa frase. El hecho real es que muchas veces la única diferencia entre un ganador y un perdedor es que el ganador simplemente siguió tratando. Puede que no hayan tenido más talento o más habilidad, pero ellos siguieron luchando. Cuando todo se hizo difícil, ellos siguieron luchando. Zig Ziglar tiene un dicho: "La diferencia entre un gran pez y un pez pequeño es que el gran pez es un pez pequeño que simplemente siguió tratando." Creo que la clave para el éxito en cualquier situación es continuar. Cuando usted tiene la visión, también tendrá oposición y ¡es ahí cuando debe persistir y no rendirse nunca!

De un paso atrás, respire profundo y llore si es necesario... pero después vuélvase a levantar.

—WILLIE JOLLEY

Todos nos cansamos rápidamente, y a veces necesitamos dar un paso atrás, pero los ganadores vuelven a la pelea y continúan peleando hasta que consiguen lo que quieren. Después se alistan para la siguiente batalla, porque entienden que la vida es desafiante y que los contratiempos son parte del reto. ¡Son parte de la vida! Sepa que mañana será un día completamente nuevo, y tendrá oportunidades completamente nuevas. Con el nuevo día dése cuenta que vendrán nuevos retos, pero estos han desarrollado la voluntad de enfrentar cada reto a medida que viene. Las Escrituras dicen que no se debe preocupar por los problemas del mañana; permita que el mañana se ocupe de los problemas de mañana. Concéntrese en el presente y disfrute el viaje. Como dice mi amigo Larry Winget: "¡Espere lo mejor, prepárese para lo peor y celébrelo todo!"

¡Renuncio!

Mi hijo y yo estábamos pasando por el sitio donde solía trabajar. Él tenía como seis años y me preguntó: "Papá, ¿no era ahí dónde solías trabajar?" Le contesté: "Si, ahí es". Entonces me preguntó: "Papá, ¿te despidieron o te dejaron ir?" Le contesté: "No hijo, ¡Renuncié!" Cuando dije eso se le llenaron sus ojos de lágrimas y dijo: "Papá, ¿renunciaste? pero, Papá, me dijiste que nunca me rindiera, tú dijiste que yo nunca debería rendirme. Y tú renunciaste." Y a medida que las lágrimas corrían por sus mejillas detuve el auto en el andén, sequé sus lágrimas y dije: "William, te voy a dar una lección de vida, hijo. Mira, ¡Si, renuncié! ¡Pero no porque me estuviera rindiendo! Renuncié ¡porque no estaba ascendiendo!" Usted tiene que renunciar a aquellas cosas que lo mantienen abajo, que lo hacen fruncir el ceño y que lo mantienen atado. Como dice Rosita Pérez: "Debe estar dispuesto a saltar... ¡y a que las alas le crezcan en el camino hacia abajo!" ¿Qué es eso en su vida a lo que usted debe "renunciar" para poder ascender? A veces debe cambiar sus direcciones y estrategias para poder alcanzar su sueño y nunca debe dejar de intentarlo.

Sexto paso - Enseñanzas

1. Actúe, porque una visión sin acción es una fantasía y las fantasías no tienen sustancia.

2. El trabajo duro da resultados.

3. Sin ambición, no se comienza nada y sin trabajo duro no se termina nada.

4. Lo que cuenta no es lo que le pase, es lo que usted haga al respecto.

5. Un "No" no es más que un "Sí" esperando a llegar.

6. La persistencia rompe la resistencia.

7. Sea como el *bulldog*; aprenda a respirar sin abandonar la pelea.

8. Espere lo mejor, prepárese para lo peor y celébrelo todo.

9. Nada es más fuerte que una mente resuelta, por lo tanto decida.

10. Renuncie a aquellas cosas que lo mantienen abajo, atado y le hacen fruncir el ceño.

Séptimo paso
Asuma la responsabilidad: ¡Enfréntelo, rastréelo, bórrelo, reemplácelo!

¡Puede que usted no sea responsable de caerse, pero sí es responsable de levantarse!

El siguiente paso en el proceso de convertir un contratiempo en una oportunidad para lograr una victoria aún mayor, es asumir la responsabilidad. Esto quiere decir enfrentarlo, rastrearlo, borrarlo y reemplazarlo. No importa si usted causó el contratiempo o no, o si éste le fue arrojado. Si quiere convertirlo en un renacer debe asumir la responsabilidad porque es *su vida, y usted debe asumir la responsabilidad por su vida!*

Yo se que algunos contratiempos son tan dolorosos e injustos que usted quiere correr y esconderse. Pero debe entender que el contratiempo es su responsabilidad porque nuestra su respuesta a él, determina de forma decisiva, su dirección en la vida. Puede que no seamos capaces de controlar o elegir las circunstancias pero podemos elegir la respuesta. Un ejemplo de lo anterior es Doris

DeBoe, sobre la cual escribí en mis libros y que ha sobrevivido cuatro veces al cáncer. Aunque ella no puede controlar el hecho de que continúa apareciéndole, decidió ganarle a la enfermedad. Su dicho favorito es: "Puedo tener cáncer pero ¡el cáncer no me tiene a mí!" Ha tomado la decisión consciente de asumir la responsabilidad de sus retos, sin importar cómo aparezcan, ha decidido ganar y ha derrotado al cáncer cuatro veces. Debemos jugar la partida que nos toca y aprender a ganar con ella.

No podemos controlar algunos contratiempos, pero otros, a menudo son el resultado de nuestras elecciones. Participamos en la creación de algunos de nuestros contratiempos. En otras palabras, nos equivocamos y creamos contratiempos. Todos tenemos deslices en nuestros juicios, cometemos errores, elegimos de forma inadecuada y creamos nuestros propios contratiempos. No sé si usted lo ha hecho, pero yo, en ciertas ocasiones, sí lo he hecho. No fue mi intención, pero en últimas, mi responsabilidad era salir de ellos.

Cuando tenemos un contratiempo debido a errores de juicio, debemos estar dispuestos a aceptar el hecho de que somos partes del problema, y por lo tanto, debemos ser parte de la solución. Debemos asumir la responsabilidad, enfrentarla, decir: "me equivoqué," y reparar la situación. Uno de los mejores ejemplos de alguien que cometió un error y luego asumió la responsabilidad y lo convirtió en una oportunidad, es Vanessa Williams. Ella entendió que uno verdaderamente puede cambiar un contratiempo por una oportunidad, si está dispuesto a enfrentarlo, rastrearlo, borrarlo y remplazarlo y a asumir la responsabilidad por ello.

Vanessa Williams hizo historia en 1984 al convertirse en la primera afroamericana en ganar la corona de Miss América, pero menos de un año después la corona le fue arrebatada porque se descubrió que ella se había dejado tomar fotografías comprometedoras durante sus años de universidad. Fue un error. Un ejemplo de una experiencia negativa que regresó por ella. Fue un contratiempo devastador. Perdió su corona y su imagen de "niña buena".

Estaba desilusionada, apenada, humillada, pero ella no se rendía. Desapareció por un corto tiempo y muchos pensaron que ese era el fin de Vanessa Williams, pero estaban equivocados. Ella regresó pisando más fuerte que nunca. Ella nos demostró que un contratiempo realmente no es más que una oportunidad para renacer.

¿Cuáles fueron las cosas que ella hizo para convertir su adversidad en una preparación hacia una victoria aún mayor? La primera fue rezar, porque ella dijo: "Cuando uno reza, encuentra la respuesta." Segundo, tomó la decisión de aferrarse a sus sueños y no rendirse nunca. Tercero, se dio cuenta que todavía tenía talento y trabajó duramente para mostrar sus talentos como cantante y actriz. Comenzó a grabar hermosas canciones de amor y se convirtió en una cantante importante, ganando un premio por la canción para la película, *Pocahontas*. Pasó a la televisión y al teatro, incluso ganando excelentes comentarios por su papel protagónico en el éxito teatral de Broadway "El beso de la mujer araña".

Continuó haciendo películas. Comenzó con papeles pequeños, pero se dieron cuenta pronto de que era una actriz innata y se convirtió en una súper estrella de la taquilla. Incluso protagonizó con Arnold Schwarzenegger, quien le dijo: "No eres simplemente una sobreviviente, eres una ganadora. Mostraste al mundo que no eres sólo una cara bonita, sino que tienes agallas, coraje y perseverancia. ¡Regresaste y probaste que eres una verdadera ganadora!"

Vanessa Williams nos mostró que todos cometemos errores, y que éstos crean algunos de nuestros contratiempos. Pero se pueden sobreponer aún esos contratiempos, si se está dispuesto a asumir la responsabilidad.

El diccionario Webster define "responsabilidad" como estar moral, legal y mentalmente comprometido. Yo digo que responsabilidad también significa que usted debe responder con habilidad, toda su habilidad.

De hecho, debe responder con todas sus habilidades naturales de nacimiento. Mencioné a Keith Harrell antes en el libro con respecto a su ¡Actitud Súper fantástica! Él me contó una historia en la que él se estaba bajando de un avión, camino a un discurso, y alguien le preguntó "¿Juega con la NBA?" (Keith mide 2 metros de altura y fue jugador de baloncesto en la universidad). Keith se detuvo, miro a la persona a los ojos, y dijo: "Si. Yo sí juego con la **NBA**, pero no la ***N****ational* ***B****asketball* ***A****ssociation*; sino con mi ***N****atural* ***B****orn* ***A****bility* (mi habilidad natural de nacimiento), y estoy encestando todos los días" Usted también debe responderle a la vida con su habilidad natural. Debe jugar el juego de la vida con todo lo que tiene, esforzándose para asumir la responsabilidad de su éxito o de su fracaso.

Pasos para responder con habilidad

Para asumir la responsabilidad, y responder con sus habilidades naturales, necesita dar cuatro pasos que son:

1. ¡Enfréntelo!

Enfrente sus problemas y reconózcalos ¡pero no permita que lo dominen!

—HELLEN KELLER

La primera cosa que hago cuando tengo un contratiempo, un problema o una dificultad en mi vida es enfrentarla y darme cuenta que hay un problema. El reconocimiento es el primer paso a la resolución. Si actúa como un avestruz y entierra su cabeza en la arena, puede evitarse algunos problemas aunque también limitará un gran número de oportunidades.

Usted no puede resolver el problema si no lo reconoce. Es como la señora que no quería enfrentar el hecho de que las cuentas que recibía, eran mayores que sus ingresos, y simplemente empezó a guardarlas en un cajón de su ropero y a olvidarlas. Pensó que de esta forma desaparecerían. Esto es un gran error porque usted debe estar dispuesto a enfrentar sus adversidades si quiere convertirlas en oportunidades.

El primer paso para la recuperación es admitir que existe un problema, ya sea uno de drogas, de alcohol, de falta de trabajo, o de la pérdida de un ser querido. Debe enfrentarlo para contemplar después las opciones, tomar las decisiones y las acciones apropiadas y continuar su camino. Recuerde: donde existan retos siempre existirán oportunidades.

Después de reconocer que hay un problema, lo siguiente que hago es rezar. Lo dije anteriormente: cuando tengo un contratiempo siempre me tomo un minuto para rezar para que me sean concedidas sabiduría y valentía. Rezando pido sabiduría para poder saber qué hacer, y valentía para ser lo suficientemente fuerte para hacer lo que sea necesario. Y no siempre rezo para que Dios lo arregle, más bien lo hago para que Él me ayude a enfrentarlo, porque yo sé que sí puedo hacerlo. ¡Él puede ayudarme a repararlo! Después de rezar, es tiempo de actuar, porque rezar y actuar van de la mano. Primero rece, luego EMPUJE y empuje hasta que algo ocurra. Debe actuar. Las Escrituras dicen: "La fe sin trabajo está muerta." La fe debe ser manifestada en la acción. ¡Por lo tanto, debe rezar como si todo dependiera de Dios, y trabajar como si todo dependiera de usted!

¡Descubra su fuerza!

Cindy Jones es otro gran ejemplo de quien enfrentó un contratiempo y continuó hasta convertirlo en una oportunidad. En 1962, cuando era una ama de casa de 26 años, su esposo fue a trabajar una mañana y nunca regresó. Ella recibió una llamada del hospital en la que le informaban que su esposo había muerto en un accidente automovilístico. Estaba devastada. Su corazón estaba roto, sus sueños hechos pedazos. Existía un silencio abrumador en su vida.

Cuatro días más tarde dio a luz a su segundo hijo. Sentía que estaba viviendo su vida "fuera de secuencia." Se supone que los bebés nacen mucho antes de que sus padres mueran. Se supone que las madres de bebés tienen padres que las ayudan. En un corto tiempo, la forma de su familia había cambiado de dos padres y un hijo a un padre y dos hijos.

¡El miedo la consumió! Tenía miedo de continuar y del dolor agudo para el cual no había remedio. Ya nada parecía seguro o confiable. Pero se dio cuenta que tenía que enfrentarlo; ella no podía lamentarse. Como único apoyo de dos niños, necesitaba una carrera y un trabajo fijo y remunerado. Tenía que enfrentarlo y lo hizo.

Decidió tomar un papel activo en la reconstrucción de su vida, más que dejar que las cosas pasaran al azar. Quería asegurarse de que su vida representara lo mejor que estaba dentro de ella. Eso la impulsó a analizarse para descubrir qué la hacía única y cuáles eran sus atributos propios, sus habilidades especiales, sus fuerzas interiores y sus talentos.

Unos meses después de la muerte de su esposo, tomó el dinero que habían estado ahorrando para una casa nueva y regresó a la universidad para obtener un diploma como profesora. Como una viuda en pena y madre de dos hijos, comenzó las clases en un frío día de enero en la Universidad de Michigan. El primer día que caminó hacia el salón de clases, se sintió extremadamente dolida y solitaria. Luchó para salir de su dolor. Rezó fervorosamente para continuar enfrentándolo.

Pasó a convertirse en una maestra exitosa, luego en una oradora nacional, y presidente de su propia firma de consultoría. Enfrentó sus problemas y fue capaz de levantarse por encima de sus circunstancias y sobreponerse a los retos, a pesar de que inicialmente fueron poco prometedores y destrozaron su vida. Encontró que la fuerza que el futuro ejercía era mucho más poderosa que la forma como empujaba el pasado. Finalmente ella dijo que había aprendido que la vida es como una bicicleta de diez velocidades, a menudo tenemos cambios que no usamos, hasta que nos vemos forzados a hacerlo. Podemos empezar usando todos nuestros cambios, sin importar dónde estemos, con cualquier reto que tengamos, pero primero debemos enfrentarlo.

2. ¡Rastréelo!

¿Dónde se originó el problema y qué puede aprender de la experiencia? Para observar debe mirar hacia atrás y ver qué puede aprender del contratiempo y también ver si usted tuvo algo que ver con la creación del problema. ¿Existió algo que hubiera podido hacer de otra forma? Usted puede aprender de ello y no cometer el mismo error dos veces (una vez es un error, dos veces es una estupidez). A veces ocurre esto en las relaciones. Muchas personas tienen contratiempos y luego repiten exactamente lo mismo en la relación siguiente. Otros, salen heridos y toman el camino opuesto. Se rinden, renuncian al amor y a las relaciones totalmente.

Debemos aprender de nuestras experiencias pasadas y no rendirnos a ellas. Esto significa que debemos usar un mejor juicio y tener más sabiduría en las decisiones futuras. Existe una vieja historia acerca de un niño pequeño que percibió el delicioso olor de pan recién hecho que venía de la cocina, y al querer tomar uno del recipiente, que aún estaba caliente, se quemó la mano y desde entonces no volvió a tocar ningún otro recipiente, caliente o frío, porque temía quemarse.

La experiencia afirma que la próxima vez que el niño huela los panes calientes y quiera probar uno, debe conseguir un guante de cocina para no quemarse la mano, antes de renunciar a tomar el pan. No se rinda por las experiencias que tuvo con la gente, porque una vez se quemó. No deje de disfrutar de la vida porque tiene algunos huecos en la vía. ¡La vida es para vivirla, no para permanecer lejos de ella! ¡El error más grande que una persona puede cometer es tener tanto miedo de cometerlo, que termina sin hacer nada! Está bien cometer un error; simplemente aprenda de éste.

Un reportero le preguntó al presidente de un banco:
-"Señor ¿cuál es el secreto de su éxito?"
-"Dos palabras."
-"Señor ¿cuáles son?"
-"Decisiones correctas."
-"¿Cómo las toma?"

-"Una palabra."
-"Señor ¿cuál es?"
-"Experiencia."
-"¿Cómo obtiene experiencia?"
"Usualmente son el resultado de decisiones equivocadas. Si usted aprende de ellas, crea la experiencia."

La gente exitosa aprende de sus errores pasados y hace ajustes para el futuro. Si no hace eso puede crear un ciclo de errores, que lo lleve a que sea aún más duro con usted mismo. Esto produce una autoestima más baja, lo que engendra sentimientos negativos acerca de usted mismo y sus decisiones, que lo conduce a tomar más decisiones equivocadas. Así, vuelve a comenzar el ciclo de nuevo con más pensamientos negativos, una autoestima más baja y peores decisiones. ¡Pare la locura! Si comete un error, aprenda de él y continúe su camino.

3. ¡Bórrelo!

Ha rastreado y enfrentado el problema, pero no se quede en él y no sea tan duro con usted mismo. Aprenda del error, comprométase a hacer mejor las cosas en el futuro y ¡déjelo ir! Todos cometemos errores, por esta razón ponen borradores en los lápices y teclas de borrar en los computadores. El viejo dicho afirma que: "La experiencia es el mejor maestro pero la experiencia usualmente es el resultado de los errores." Perdónese a usted mismo y continúe su camino.

Existen dos tipos de errores: los que enseñan y los que destruyen. Podemos ver esos errores como experiencias de aprendizaje o como disparos de muerte. Podemos verlos como nuestro maestro o como el director de fúnebre. ¡Es nuestra elección! Yo recomiendo que los haga su maestro. Permita que lo estiren y que lo ayuden a expandirse y a ampliar su horizonte. Los errores son parte de la vida y pueden ser una gran herramienta de enseñanza; pero recuerde, el peor error es tratar de no cometer ningún error, ¡porque entonces está destinado a fracasar! Como dijo Edison: "Yo no fallé diez mil veces en inventar la bombilla eléctrica; encontré diez mil nuevas formas que no funcionaron." Albert Einstein expresó: "No es fracaso ¡si aprende de él!"

Ninguna persona se volvió exitosa, sin cometer errores. Éstos son parte del crecimiento y una parte necesaria del éxito. Usted no puede cambiar lo que ya pasó, pero puede arreglar algunas de las cosas que hizo. Una forma de borrar el problema es devolverse y arreglar las cosas que lo han estado molestando para que pueda seguir. Si ha herido a alguien en el pasado y el recuerdo todavía le molesta, devuélvase y pida perdón. Si tomó prestado de alguien, páguele. Corrija los errores como mejor pueda, aprenda de sus experiencias y continúe. Si necesita dar un paso atrás y reparar algo, hágalo. No tiene que permanecer ahí, ¡repárelo y continúe hacia adelante!

4. ¡Reemplácelo!

Una vez lo haya enfrentado, rastreado y borrado, entonces debe reemplazarlo. Habrá personas, lugares y cosas en su vida que simplemente rogarán ser reemplazados. Hágales el favor y concédales su deseo; déjelos solos y reemplácelos. Reemplace el elemento negativo por un elemento positivo y vaya hacia un lugar de paz, propósito y pasión. Tome una decisión, elija ser positivo y concéntrese en lo positivo más que en lo negativo.

Cambie su auto comunicación. No sea tan duro con usted mismo. Haga el compromiso de cambiar su conversación consigo mismo. Acabe con su comunicación negativa. Su auto conversación tiene un impacto sobre su auto imagen y ésta tiene un impacto sobre su comportamiento, que a su vez, tiene un impacto sobre su auto conversación y así, el ciclo continúa.

¡Dígase palabras dulces a usted mismo!

Para cambiar su vida debe cambiar su comunicación interna. Háblese con dulzura y amabilidad, y siempre hable positivamente sobre su vida. Los palos y las piedras pueden romper sus huesos... pero las palabras pueden romper su espíritu. Cuidado con lo que permite que usted se diga a usted mismo, y a los otros. ¡Primero, háblese "bien" a usted mismo! ¡Siempre hable "bien" a usted y de usted! Quiérase y esté dispuesto a decirse a usted mismo que se quiere.

Yo les digo a los estudiantes que no sean presumidos, pero que deben quererse a sí mismos. Recuerdo que cuando yo era joven, escuché a una niña que le preguntaba a la otra: "¿Crees que eres linda?" y ella respondía que no lo creía. A medida que he envejecido, he pensado sobre esto y me he dado cuenta qué tan estúpido es negar que uno puede ser lindo. Usted debe pensar que es lindo; es mucho mejor que pensar que es feo. No acepte la opinión de nadie que lo haga más pequeño. Si Dios lo hizo, usted es lindo. ¡Punto!

Para poder convertir un contratiempo en una oportunidad, debe asumir la responsabilidad y responder con su habilidad natural. Debe ver que con cada carga hay una bendición, y con cada bendición hay una carga. Una carga de responsabilidad, para enfrentar, rastrear, borrar y reemplazar. Inténtelo, no atravesará simplemente por ésta, sino que también crecerá a través de ella.

Octavo paso - Enseñanzas

1. Usted puede no ser el responsable de haber sido derribado, pero sí es responsable de volverse a levantar.

2. Responda con sus habilidades, sus NBA (Habilidades Naturales de Nacimiento: ***N**atural **B**orn **A**bilities*).

3. Enfréntelo: reconozca el problema y rece no sólo para arreglarlo, sino para obtener ayuda y enfrentarlo.

4. Rastréelo: Mire el problema y vea si usted tuvo algo que ver con la creación del mismo.

5. Aprenda del problema: una vez es un error... dos veces es una estupidez.

6. Bórrelo: No se quede en el problema. Perdónese a usted mismo y continúe su camino.

7. Reemplácelo: Cambie experiencias e información negativas por experiencias e información positivas.

8. Empuje: ¡Empuje hasta que algo ocurra!

9. Asuma la responsabilidad: Si se puede hacer, entonces se debe hacer.

10. Cambie su auto conversación: Dígase cosas dulces a usted mismo, háblese bien.

Cuarta parte

El poder del deseo

La última parte de la fórmula V.D.A.D. es el deseo, que es absolutamente necesario para convertir sus contratiempos en oportunidades. Cuando escuchamos la palabra "deseo" usualmente pensamos en algo que se nos antoja, pero hay mucho más en el deseo. Sí, el deseo tiene una definición que incluye los antojos y la satisfacción de los apetitos. El deseo también incluye aquellas cosas que usted anhela sinceramente, y el grado de intensidad que está dispuesto a ejercer para alcanzar la meta que se ha propuesto, o el grado de energía que está dispuesto a gastar para llegar a su meta. En otras palabras, ¿qué tanto quiere llegar a su meta y qué está dispuesto a hacer para conseguirla?

Debe querer convertir el contratiempo en una oportunidad y querer hacerlo. ¿Qué tanto quiere convertir su contratiempo en una oportunidad? Cuando pregunto eso en mis programas siempre obtengo la misma respuesta, ¡"Mucho!" De acuerdo, ¿pero qué tanto es "mucho"? Hay diferentes niveles de querer algo "mucho".

¿Alguna vez se ha despertado tarde en la noche y ha deseado un jugo bien frío? Todos probablemente hemos tenido ese sentimiento en algún momento de nuestras vidas. Imagínese a alguien que se despierta cerca de la medianoche y piensa: "¡Quiero un jugo de naranja, y lo deseo mucho!" Abre la nevera pero descubre que no hay jugo de naranja. Va a la ventana, abre las persianas y ve que está nevando. Se devuelve a la nevera y vuelve a mirar, pero es inútil, así que se conforma con un vaso de agua y vuelve a la cama. ¡Realmente no deseaba tanto el jugo de naranja!

Otra persona se levanta hacia la medianoche y piensa: "Quiero un jugo de naranja, y realmente lo deseo mucho". Abre la nevera, mira, pero no hay. Va a la ventana, abre las persianas y ve que está nevando. Se pone su sombrero, su abrigo, sus guantes y sus botas y camina un cuarto de milla hasta la tienda de la esquina, pero está cerrada. Vuelve a caminar hacia su casa y se conforma con un vaso de leche, porque realmente no deseaba tanto el jugo de naranja.

Alguien se levanta hacia la medianoche y piensa: "Quiero un jugo de naranja, y realmente lo deseo mucho". Esta persona va a la nevera y mira, pero tampoco hay. Va a la ventana, abre las persianas y ve que está nevando. Se pone su sombrero, su abrigo, sus guantes y sus botas y camina un cuarto de milla hacia la tienda de la esquina, pero está cerrada. Entonces camina otra milla a la tienda de víveres, pero también está cerrada. Camina otra milla a la estación de gasolina donde hay una máquina dispensadora de jugos, pero ya están agotados. A pesar de todo, continúa caminando hasta que consigue su jugo de naranja. Imagínese si usted iría tan lejos para conseguir un jugo, ¿cuánto más lejos iría para alcanzar sus sueños? Sólo usted puede contestar esta pregunta. ¿Qué tanto lo desea?

Los deseos se pueden dividir en tres partes:

1. Los deseos de su corazón, que son determinados por su fe.
2. Los deseos de su mente, su nivel de concentración y su compromiso para conseguir sus metas.
3. Los deseos de su alma, que son sus miradas hacia adentro y cómo desea seriamente convertir un contratiempo en una oportunidad.

Comencemos con los deseos de su corazón, que son determinados por su fe, porque la fe es absolutamente necesaria en su misión de convertir un contratiempo en una oportunidad.

Octavo paso
¡Tenga fe! ¡Usted es bendecido y altamente favorecido!

Si usted tan sólo cree, hará que
todas las cosas sean posibles.

—Marcos 9:23

Aquel que pierde dinero, pierde mucho
Aquel que pierde un amigo, pierde más
Aquel que pierde la fe, pierde todo
Vamos por la vida con una serie
de oportunidades dictadas por Dios,
brillantemente disfrazadas como retos.

—Charles Udall

Creo que todos los capítulos de este libro son importantes, pero realmente éste es el capítulo más importante porque la fe es esencial para convertir un contratiempo en una oportunidad. La fe es esencial porque trae esperanza, y ésta nos da expectativas positivas para el futuro y con ellas estamos más aptos para mantenernos en el camino durante los tiempos difíciles. Si somos capaces de continuar en los tiempos difíciles, seremos capaces de convertir nuestros contratiempos en oportunidades, de forma efectiva una y otra vez.

La fe nos da esperanza, y también nos da fuerza. Es una fuente de poder que nos permite continuar, específicamente en los tiempos difíciles. Y como nos hemos dado cuenta que todos tendremos algunos tiempos difíciles, necesitamos fe. Usted necesita fe, ¿pero dónde está su fe?

Todos tienen fe; infortunadamente algunos han puesto su fe en el lugar equivocado. Yo sé que todo el mundo tiene fe porque he visto a las personas cuando realizan su rutina diaria. He visto cómo aplican su fe. Cómo la persona que entra a un restaurante, saca un asiento y luego se sienta, sin revisar si éste puede aguantar su peso. Tienen fe en que el asiento es capaz de hacer lo que fue creado para hacer. O la gente que se sube al avión, toma asiento sin preguntar por el piloto o revisar su licencia. Tenemos fe en que la aerolínea sólo tendría una persona calificada y experimentada en la posición de piloto, Otro ejemplo es cuando la gente obtiene un trabajo y trabaja por dos semanas, e incluso por un mes, sin recibir ningún pago por parte de su empleador, porque tiene fe en que la persona les pagará en el momento apropiado y que su cheque será bueno. ¡Todos tienen fe!

Todos deben tener fe para existir en el mundo como lo conocemos. ¿Pero dónde está su fe? Esa es una pregunta poderosa que debe ser respondida cuando encuentre un contratiempo y quiera convertirlo en una oportunidad. ¿Dónde está? ¿En el problema o en la solución? ¿En las circunstancias presentes o en las posibilidades futuras? ¿En sus miedos o en su fe? ¿En la Ley de Murphy o en las promesas de Dios? ¿Dónde está su fe? Tenga fe en un Dios que lo ayude a entender que aquello que otros quieren para mal, Él lo quiere para bien, y que pueda ayudarlo a ver que la adversidad es la preparación para renacer.

José y el abrigo de muchos colores

La historia bíblica de José probablemente es una de las mejores historias que han existido sobre el poder de convertir un contratiempo en una oportunidad. José era un hombre joven, un soñador. Era el hijo favorito de su padre. Un día recibió de regalo un abrigo de muchos colores. José compartía sus sueños con sus hermanos, y ellos lo odiaban porque sus sueños siempre lo mostraban llegando mucho más lejos que ellos. Así que un día decidieron deshacerse del "soñador" de una vez por todas. Cuando José salió al campo, sus hermanos lo botaron a un pozo profundo. Habían planeado matarlo, así que tomaron su abrigo de muchos colores, lo untaron de sangre de animal para poder llevarlo hasta donde su padre y decirle que a José lo había matado un animal salvaje. Mientras los hermanos trataban de decidir cuál era la mejor forma de matarlo, pasó una banda de comerciantes y decidieron vendérselo como sirviente. Indudablemente, José tuvo un gran contratiempo.

Los comerciantes llevaron a José a Egipto y lo vendieron a Putifar, quien era un oficial del Faraón, el rey de Egipto. José triunfó como asistente de Putifar, y lo que tocaba se convertía en éxito. Pronto fue puesto a cargo de todos los asuntos administrativos de Putifar y se convirtió en su sirviente favorito. Sin embargo, había problemas a la vista.

La esposa de Putifar puso sus ojos en José y constantemente trataba de seducirlo y de convencerlo que durmiera con ella. José se negaba constantemente, pero un día, cuando todos los demás estaban fuera de la casa, ella tomó a José por su túnica e insistió que durmiera con ella. Él corrió, pero como ella estaba desesperada, comenzó a gritar y acusó a José de intentar violarla. Putifar creyó su historia y mandó a José a la cárcel. Este fue otro contratiempo para José, ¡pero Dios sabía que había una nueva oportunidad!

Mientras estaba en la cárcel, José entabló amistad con el jefe de la cárcel, quien lo nombró su administrador principal. Él le dio responsabilidad sobre los otros prisioneros. José se hizo amigo de otros dos reclusos del palacio: el panadero jefe y el mayordomo jefe. Una noche, ambos tuvieron unos sueños que no podían entender y le pidieron a José que se los interpretara. Él le dijo al mayordomo que volvería a ganar su estatura en el hogar del Faraón. Entonces el jefe panadero se emocionó y preguntó qué significaba su sueño. José le dijo que su sueño significaba que sería asesinado. Las predicciones de José se hicieron realidad. El mayordomo jefe le prometió a José que lo recordaría cuando estuviera de regreso en la casa del Faraón y que lo sacaría de prisión, pero no lo hizo. Otro contratiempo para José.

Sin embargo, José nunca perdió su fe. Creía que algo bueno saldría de todos aquellos infortunios. Continuó viendo un contratiempo como una nueva oportunidad. Años más tarde, el Faraón tuvo un sueño que nadie de su séquito pudo interpretar, y entonces el mayordomo jefe recordó a José. El Faraón envió por José y le contó su sueño. José no sólo fue capaz de interpretarlo sino que también le dio un plan de acción para sobreponerse a los retos que venían. El rey apreció tanto a José, y a su fe, que lo convirtió en su asistente personal. En poco tiempo fue ascendido a director de todas las actividades administrativas en Egipto y luego se convirtió en el segundo al mando, después del Faraón. A la edad de treinta años José era la segunda persona más poderosa en Egipto y tuvo control sobre la distribución de todas las propiedades y las provisiones.

José predijo siete años de prosperidad, que estarían seguidos por siete años de escasez, así que instruyó a los egipcios para guardar comida y provisiones durante los siete años de prosperidad, en anticipación a los siete años de escasez. Durante los siete años prósperos, la posición de José continuó creciendo, al igual que su fe. Después de los siete años prósperos hubo una sequía, pero los egipcios tenían suficiente, gracias al plan de José. La gente en los países vecinos fue golpeada fuertemente y muchos estaban al borde de morir de hambre. Los hermanos de José escucharon que había comida en Egipto y decidieron ir allí para tratar de comprar algo de comida.

Durante este tiempo José fue el gobernador de todo Egipto. Estaba a cargo de las ventas de grano, así que los hermanos tuvieron que venir a arrodillarse frente a él y pedirle el grano. José los reconoció pero ellos no. Los interrogó y descubrió que su padre estaba vivo y sano. También descubrió que tenía un nuevo hermano menor. Finalmente les dijo quien era y les dijo que fueran por su padre y llevaran a sus familias a Egipto para poder tener comida y provisiones durante la sequía.

José los perdonó por venderlo y convertirlo en esclavo porque ese acto eventualmente le había salvado la vida. Afirmó que lo que otros quieren para mal, Dios desea para bien y así les mostró que la adversidad es la preparación para renacer, cuando se tiene fe. Esta historia, que es una de mis favoritas sobre la fe, demuestra que si uno la tiene, nunca está sólo.

El médico del campo

Una vez había un viejo médico que vivía en el área rural. Iba de finca en finca cuidando a la gente enferma. Un día de verano, su auto se averió y tuvo que caminar muchísimo. En la noche estaba tan cansado que cuando llegó a su casa, ni siquiera quiso cenar. Se fue a su cuarto, se acostó y se durmió apenas su cabeza tocó la almohada. Su esposa entró a aflojarle la corbata, a desamarrarle sus zapatos y a ponerle los pies en la cama.

Como una hora después, sonó el teléfono y la esposa del médico contestó para que no lo molestaran. Era la señora Smith de la finca al final del camino, que estaba desesperada porque su bebé tenía una fiebre muy alta y no sabía qué hacer; necesitaba al médico de inmediato.

La esposa del médico contestó que él estaba demasiado cansado para realizar la visita, pero que le pusiera compresas frías al bebé y le diera aspirina y que el médico estaría allí a primera hora de la mañana. Aunque él estaba dormido profundamente, su subconsciente reconoció que había alguien que lo necesitaba. Cansado preguntó: "¿Qué pasa?" Su esposa le contó acerca del bebé con fiebre alta, y él se levantó y dijo que tenía que ir a ver ese niño.

Cogió su maleta y comenzó a caminar a la finca de la señora Smith, que estaba como a dos millas de su casa. Para llegar allí, tenía que pasar por un túnel. Cuando entró al túnel oscuro una voz le gritó: "Hey, ¿tiene un fósforo?" El doctor paró y descargó su maleta, sacó un fósforo, lo puso cerca a su cara para poder verlo, encendió el fósforo, encendió el cigarrillo del hombre, retiró el fósforo y lo sopló.

Después continuó hacia la casa de la señora Smith. Atendió al bebé y fue capaz de bajarle la temperatura y darle medicina para hacerle sentir mejor. Después comenzó su camino de vuelta a casa. Cuando pasó por el túnel en su viaje de regreso se volvió a encontrar al hombre en medio de la oscuridad. El hombre volvió a gritar: "Hey, ¿tiene un fósforo?" Otra vez, el doctor paró, descargó su maleta, sacó un fósforo, lo puso cerca a su cara para poder verlo, encendió el fósforo, encendió el cigarrillo del hombre, retiró el fósforo y lo sopló. Se apuró a volver a casa y volvió a caer en un sueño profundo.

Unas pocas horas después volvió a sonar el teléfono. El doctor saltó a contestar y se sorprendió al escuchar la información del otro lado de la línea. Era el jefe de policía que decía que el señor Brown, uno de los mejores amigos del médico, había estado caminando por el túnel esa noche y alguien lo había atacado, golpeado, robado y dejado casi muerto. Necesitaba al médico de inmediato para poder salvar al señor Brown. Rápidamente el médico tomó su maleta y corrió a la enfermería. Atendió con tanta eficacia al señor Brown que fue capaz de estabilizarlo para que pudieran llevarlo al hospital.

El médico le preguntó al policía: "¿Encontraron a quién hizo esto?" El policía dijo: "Sí, lo tenemos en la cárcel" El médico preguntó: "¿Puedo verlo?" El policía contestó: "Sí" y lo llevó a la cárcel. Cuando llegaron, el doctor se sorprendió porque tras las rejas estaba el hombre que se había encontrado dos veces esa noche. El doctor fue hasta la celda y le preguntó: "¿Por qué? ¿Por qué no me hizo daño?" El hombre respondió: "Mi plan era no solamente robarlo y golpearlo, sino también matarlo y robarme todas sus medicinas costosas, pero cada vez que usted encendía el fósforo, había alguien a su lado."

Ustedes tendrán todo tipo de encuentros a medida que van por el camino que les han designado. Algunos de estos encuentros serán miedosos, dolorosos y difíciles, pero siempre deben permanecer con fe y recordar que tenemos una promesa de Dios que nunca nos abandonará. Siempre estará a nuestro lado; simplemente tenga fe.

¿Qué es la fe? La fe es la seguridad de las cosas que esperamos, la evidencia de las cosas que no son vistas. Las Escrituras también nos dicen: "Porque Dios no nos ha dado el espíritu del miedo, sino del poder y del amor, y de una mente íntegra." Desgraciadamente la mayoría de las personas vive sus vidas con un espíritu de miedo y no con un espíritu de fe. Permiten que el miedo descanse, mande y apoye sus vidas. Viven sus vivas con el miedo presente en la cabina, y la fe como un polizón. Viva su vida con la fe en el timón. Le sugiero que arroje al miedo por la cubierta.

Los psiquiatras han comprobado que nacemos solamente con dos miedos: el miedo a caer y a los ruidos muy fuertes; todos los demás son comportamientos aprendidos. Los bebés llegan a esta tierra solamente con esos miedos y después les son enseñados los otros. Mi amiga, Dale Smith Thomas comparte en sus discursos ¡el significado de la Fe (*Faith,* en inglés) versus el del Miedo (*Fear,* en inglés)! F-E-A-R: significa **F**alsa **E**videncia **A**pareciendo **R**eal, mientras que F-A-I-T-H significa ¡Encontrando respuestas en el corazón! (***F**inding **A**nswers **I**n **T**he **H**eart*). ¿Cuáles son las respuestas que buscará y encontrará en su corazón?

¡El Famoso Wally Amos!

Wally Amos se ha hecho mi amigo en los últimos años. Hemos hablado juntos en un gran número de programas y encontrado que tenemos mucho en común. Wally es un gran ejemplo de alguien que convirtió la adversidad en una oportunidad. Su historia es legendaria y se ha convertido en el ejemplo de nunca rendirse.

Wally Amos nació en Florida y creció en Nueva York. Cuando joven se interesó en la industria de la música y se convirtió en agente musical. Rápidamente se volvió un agente muy exitoso. Como una forma de agradecer a sus clientes, les regalaba galletas de chocolate. Sus galletas se hicieron tan populares que comenzó a recibir pedidos de muchas personas. Muchos se ofrecían a comprar las galletas, así que comenzó a venderlas en pequeñas bolsas de plástico. Los pedidos venían más y más rápido y pronto tuvo que tomar una decisión: permanecer en su trabajo, que le gustaba, o hacer galletas, que le encantaba. Decidió hacer lo que le encantaba y comenzó una compañía llamada Compañía de Galletas de Chocolate, del Famoso Amos.

Trabajó duro y en unos pocos años la gente por todo el país compraba las galletas del Famoso Amos en las tiendas. ¡Era una estrella! Comenzó a dar conferencias y a viajar y dejó que el negocio de las galletas se administrara solo. Desgraciadamente los negocios no se administran solos. Como los autos, requieren un chofer o se saldrán del camino. El negocio entró en dificultades económicas. Wally comenzó a buscar una forma para permitir que alguien más manejara el automóvil sin control. Una empresa se ofreció a comprar la compañía del Famoso Amos y mantener a Wally como el representante. Le dijeron que le darían un gran salario para mantener su nombre en los títulos. Wally vendió la compañía, seguridad, existencias, barril y nombre, Galletas de Chocolate del Famoso Amos.

Las cosas fueron maravillosas los primeros dos años y luego la compañía fue vendida a otra empresa, que después la vendió a otra más grande. Cuando llegó el cuarto propietario éste sintió que no necesitaban más a Wally y le dijeron adiós. Pero decidieron que iban a permanecer con el nombre del "Famoso Amos", y le dijeron a Wally que él no lo podía usar más.

Wally les dijo que el Famoso Amos era su nombre y que la gente alrededor del mundo lo conocía por ese nombre y que no podían quitárselo. Ellos dijeron: "Oh si podemos. Cuando usted vendió la compañía firmó un documento dándole al propietario los derechos del nombre." Wally y la compañía terminaron en la corte, y Wally perdió. Tuvo que renunciar al nombre Famoso Amos y le dijeron que sería demandado si se atrevía a poner su nombre en algún material promocional.

Wally regresó a Hawai a recuperarse. Estaba derrotado, pero sabía que la adversidad es una preparación para una victoria aún mayor. Wally le dijo a su familia que Dios no es un Dios de una sola idea. Él afirmó: "Él me dio la primera idea y estoy confiado en que me dará otra." Wally tuvo otra idea pronto y comenzó una nueva compañía llamada "Galletas y Muffins del Tío Sin-Nombre". La compañía está comenzando a ganarle a la de Galletas del Famoso Amos. Wally también se ha convertido en un autor de *bestsellers* y ha desarrollado una infraestructura que le permite hablar y viajar mientras su gente de confianza maneja el auto.

Los pasos de Wally para convertir el contratiempo en una forma de renacer, son :

1. Recuerde que Dios no es un Dios de una sola idea; si le da una idea Él puede darle otra.

2. Recuerde que Dios es más grande que cualquier situación que usted tenga. ¡Tenga fe!

3. Siempre busque formas de convertir los limones en limonada.

4. Tenga en mente que no hay hechos en el futuro. ¡Usted los crea!

5. Realmente no importa de dónde vino, la clave es a dónde va.

6. Wally afirmó: "Traté de alcanzar el cielo, pero fallé. Entonces, cogí unas cuantas estrellas."

Tenga fe, que es dar un paso hacia la nada y creer que aterrizará en algo. Concentrarse en dirigir sus energías a un proyecto y crear un fuego. El seguimiento es actuar persistentemente y hacer que sus sueños se hagan realidad.

Wally probó que aún un hombre sin nombre puede convertir un contratiempo en una oportunidad para renacer.

Jane Fletcher White

Jane Fletcher White, de Houston, Texas, es una mujer sorprendente que se ha sobrepuesto a un sinnúmero de contratiempos, utilizando su fe. Era música profesional, graduada de la universidad y consiguió trabajo en una línea de cruceros, cantando en el grupo de teatro. Después de un año de cantar en cruceros, se asentó en Nueva York cantando en grupos de teatro. Con el paso del tiempo comenzó a extrañar su hogar y regresó a Houston. El mismo día de su regreso, conoció a Tom White, el amor de su vida, con quien se casó un año después.

Los recién casados trabajaron duro para ahorrar dinero porque querían comprar una casa y comenzar una familia, pero después de un año le dijeron a Jane que no podía tener hijos. Estaba desilusionada pero continuó estando agradecida por todo lo que tenía y continuó teniendo fe en que sucedería algo milagroso. Un mes después descubrió que estaba embarazada. Nueve meses después tuvo un niño y una niña. Cuatro meses después, estaba embarazada nuevamente y tuvo otra niña. ¡Tuvo tres hijos en menos de dos años!

Cuando los niños todavía estaban pequeños Jane fue al médico y le diagnosticaron una variante de cáncer muy raro y mortal. Los médicos le dieron pocos meses de vida. Ella nuevamente estaba en un punto crítico, pero recordó lo que Dios había hecho antes y tuvo confianza en que podría y haría algo otra vez. De hecho, Jane estaba tan confiada que mientras estaba en el hospital se dedicó a darle ánimo a los otros pacientes, manteniendo siempre una gran fe.

Muchos de los médicos sentían que estaba en un estado severo de negación, pero Jane estaba confiada en que estaban equivocados ¡y lo estaban! Veinte años después Jane todavía está viviendo la vida al máximo. ¡Está hablándole a grupos por todo el país, cantando con un grupo de teatro y divirtiéndose todos y cada uno de los días!

Las siguientes fueron las lecciones que Jane aprendió de sus contratiempos:

1. Sepa que está bien sentirse abrumado en un principio, e incluso tener un poco de miedo, pero trabaje rápidamente para reemplazar el miedo con la fe. "Confíe en el Señor, ¡porque Él lo cuidará hasta el final!"

2. ¡Permanezca calmado! El pánico no ayuda en el proceso. Sólo empeora las cosas. ¡Permanezca calmado y tenga fe!

3. Ponga en orden sus prioridades: Dios, familia, después, todo lo que sigue.

4. Aprenda a preguntar: "¿Es esto importante en el gran esquema de las cosas? Si lo es, luche por ello. Si no, déjelo ir.

5. ¡Nunca tome a nadie, nada, o ningún día como si estuviera garantizado!

6. Atrévase a asumir riesgos y déje todas las puertas abiertas. ¡Si una se cierra, otra se abrirá!

7. Tenga fe y confíe en Dios.

No hay lugar como el hogar ¡El poder de la fe, la concentración y el seguimiento!

Cuando cambie su pensamiento, cambiará la forma como ve las cosas. Descubrí que eso es cierto una noche del año 2000 mientras veía televisión con mi hijo. Leí que El Mago de Oz sería trasmitida por última vez en el siglo veinte. A pesar de que la había visto una docena de veces, decidí sentarme con mi hijo a verla nuevamente. Mientras nos deleitábamos con el gran clásico, observé la historia desde una perspectiva diferente, y vi cosas que nunca había visto antes.

Érase una vez una pequeña niña de Kansas llamada Dorothy que quedó atrapada en una tormenta y terminó lejos de casa, sorprendida, perdida y confundida.

(Me di cuenta que esta situación es parecida a la de la vida; a veces quedamos atrapados en unas tormentas, nos salimos del camino y nos encontramos en lugares y con situaciones que nos son extrañas). Dorothy quería volver a su casa, pero no sabía cómo. (¿Alguna vez lo han sacado de su camino y ha terminado en un lugar extraño donde se siente perdido y no tiene idea de dónde o cómo debe proceder?) Ella conoció a muchas personas nuevas y todos querían darle consejos para resolver su problema. "Ve a ver al Mago... sigue el Camino de los Ladrillos Amarillos."

Dorothy tomó su camino y se encontró con un espantapájaros. Éste era un buen tipo, pero no tenía cerebro, por lo tanto, no tenía la habilidad de soñar. Quería desesperadamente un cerebro y Dorothy lo invitó a ir con ella a ver al Mago, así que comenzaron a caminar por el Camino de los Ladrillos Amarillos para permitir que el Mago hiciera sus sueños realidad.

Un poco más allá se encontraron con un hombre de hojalata, que no tenía corazón, así que no tenía la capacidad de creer en su sueño. Dorothy le contó acerca del Mago y los invitó a ir con ellos para que el Mago pudiera darle un corazón. Continuaron por el Camino de los Ladrillos Amarillos. Entonces se encontraron con un león cobarde, que no tenía la valentía para vivir su sueño (porque definitivamente se necesita valentía para vivir un sueño). Él quería ser el rey del bosque, pero tenía demasiado miedo. Ellos se dieron cuenta de que necesitaba valentía para ser el rey del bosque, y lo invitaron a ir con ellos a ver al Mago.

En el camino encontraron obstáculos, retos y situaciones que amenazaron sus vidas, pero continuaron porque sentían que necesitaban que el Mago los completara. Finalmente después de muchas pruebas y juicios llegaron a ver al Mago, pero descubrieron que era un farsante. Él no era capaz de ayudarlos; de hecho todavía estaba tratando de resolver como enderezar su propia vida.

Estaban devastados. Todo su trabajo había sido en vano. Habían hecho tanto para llegar a ver al Mago, sólo para descubrir que él no era capaz de ayudarlos a regresar a casa. Mientras lloraban por sus problemas, recibieron una visita de Glinda, la bruja buena. Los miró con lástima y les dijo: "No necesitaban al Mago para regresar a casa, lo que necesitaban estuvo dentro de ustedes todo el tiempo. Todo lo que Dorothy tenía que hacer para regresar a casa era juntar sus tobillos tres veces."

En ese momento pensé en la maravillosa cita de Emerson que dice: "¡Aquello que está delante y detrás de ti, jamás lo podrás comparar con aquello que está adentro!" En el ojo de mi mente podía ver al grupo parado ahí, mirando sorprendidos a Glinda a medida que decía esas palabras: "Estaba dentro de ustedes todo el tiempo." En mi mente vi a Glinda dándoles después la fórmula para convertir sus retos en oportunidades; para convertir sus problemas en posibilidades y para cambiar sus contratiempos en posibilidades de renacer. Estuvo siempre con ellos. Cerré mis ojos y la visualicé diciendo: "Sólo junten sus tobillos tres veces, una vez por la visión, una por la decisión y una por la acción. Y si sinceramente lo desean mucho, irán a casa." Dorothy juntó sus tobillos tres veces y regresó a casa.

Todo lo que necesitan para hacer sus sueños realidad ya está dentro de ustedes; sólo junten sus tobillos tres veces. Júntelos una vez por la *fe*, que es la habilidad de "llamar esas cosas que aún no son, como si fueran." "La fe es la disposición a saltar... y que las alas crezcan en el camino hacia abajo." Ocasionalmente todos quedamos atrapados en tormentas y podemos perder nuestro camino a casa. Tome tiempo para rezar y buscar una guía, y trabaje para construir su fe porque es como un músculo, entre más lo usa, más fuerte se hace. A medida que fortalezca su fe, más será capaz de pararse en medio de las tormentas y no rendirse. La fe nos da la habilidad de creer que nuestros sueños son posibles.

En la adaptación del Mago de Oz, que fue llamada "El Mago" *(The Wiz)*, Glinda cantó una canción llamada: "Si usted cree," justo antes de mostrarles como juntar sus tobillos tres veces. Expresó que si uno cree dentro de su corazón, puede flotar en el aire e ir a casa. Debe creer, si quiere convertir sus contratiempos en oportunidades. Debe creer que puede y debe creer que lo hará. Desarrolle la creencia de que es imposible que usted falle, y actúe basado en esa creencia. Entonces no fallará. Tendrá contratiempos pero ya no los verá como fracasos, sino como contratiempos, que no son más que oportunidades.

Después juntará sus tobillos por la *concentración*. Concéntrese en las posibilidades, no en los problemas.

Concéntrese en la perspectiva positiva, no en la negativa. Concéntrese en sus metas y no en sus obstáculos. Concentre sus energías en los principales eventos actuales y no en todos los pormenores que tratarán de robar su tiempo y energía. Concéntrese en las opciones que dispone. La persona que es capaz de invocar y concentrar sus energías, crea los fuegos de la vida. Junte sus tobillos por la concentración.

El tercer golpe es por el *seguimiento*, porque usted debe actuar si quiere convertir sus contratiempos en oportunidades. Cuando cree que encontrará un camino, y luego actúa en esas creencias con la expectativa de que sus acciones brindarán resultados positivos, entonces comenzará a volar. Desgraciadamente, muchas personas tienen fe pero no tienen capacidad de seguimiento. Dios le da al ave su comida, pero Él no se la deja en el nido. Usted requiere fe y acción, porque la fe sin trabajo está muerta. Tenga fe, manténgase concentrado y haga un seguimiento: actúe.

James Carter y Ramon Williamson escribieron un libro llamado: "22 Caminos poco comunes al éxito". Uno de los capítulos expresa algo maravilloso: "Camine en pos de la fe, pero corra cuando pueda" Necesitan la fe para convertir un contratiempo en una oportunidad, pero necesitan también la acción. La fe y la acción son un equipo poderoso. ¡No salga de casa sin ellos! Sólo junte sus tobillos tres veces, con fe, concentración y seguimiento y recuerde que no hay lugar como el hogar.

La fe es creer lo que no podemos ver y la recompensa de la fe es ver lo que creemos.

—SAN AGUSTÍN

Octavo paso – Enseñanzas

1. Determine, ¿dónde está su fe? ¿Está en Dios o en las circunstancias?

2. Lo que otros quieren para mal, Dios lo quiere para bien. Sólo tenga fe.

3. Viva su fe, no sus miedos.

4. Miedo *versus* Fe = evidencia falsa que parece real, versus encontrar las respuestas en el corazón.

5. Dios no es un Dios de una sola idea.

6. Permanezca "Bendecido y Altamente Favorecido." ¡Háblelo y vívalo!

7. Tenga en cuenta sus bendiciones, no sus problemas.

8. Esté dispuesto a apostar a usted mismo aún cuando otros no lo estén.

9. La fe es dar un paso con los ojos cerrados, teniendo la certeza de saber que hay un soporte que no permitirá que nada malo le ocurra.

10. Junte sus tobillos tres veces: una vez por la fe, luego por la concentración, luego por la capacidad de seguimiento y encuentre el poder profundo que yace dentro de usted. Después hallará su camino a casa.

NOVENO PASO
¡TODO ES BUENO! ¡SEA AGRADECIDO! ¡TENGA UNA ACTITUD DE GRATITUD!

¡Todas las cosas trabajan juntas por el bien de esos que aman al Señor y que son llamados de acuerdo a sus propósitos!

—ROMANOS 8:28

Charles Spurgeon, el notable clérigo inglés, notó que la veleta de viento en el techo de una granja llevaba la frase: "Dios es Amor" y se sintió desconcertado. "¿Piensa que el amor de Dios es tan cambiante como esa veleta de viento?" le preguntó al granjero. "Se le escapa el sentido, buen señor," contestó el granjero. La frase: "Está en la veleta de viento porque sin importar en que dirección sople el viento, Dios siempre es amor." Sin importar en qué dirección sople el viento, todo es bueno, porque con el tiempo todas las cosas trabajan juntas por el bien.

Para poder convertir un contratiempo en una oportunidad de renacer completamente, usted debe llegar a la conclusión que todo es bueno, ¡Realmente todo es bueno! En los últimos años la gente joven a través de

Estados Unidos ha establecido un nuevo saludo que dice así:

-"¿Cómo estás?"
-"¡Bien!"
"¿Qué está pasando?"
-"¡Todo es bueno!"
-"Si, ¡todo es bueno!"

No sé si realmente entienden el poder de esa afirmación, pero estoy contento de que lo estén diciendo, y hablándolo para que sea verdad. No importa qué suceda en la vida, ¡todo es bueno! Es una forma maravillosa de contestarle a la vida; ¡sólo sepa que todo es bueno! Compartí una historia en mi primer libro que ha tenido una respuesta tan positiva que debo volverla a mencionar en este libro. Creo que ilustra de forma maravillosa que todo está "Todo Bien" porque ¡realmente todas las cosas trabajan juntas por el bien!"

Todas las cosas trabajan juntas para el bien

Érase una vez un sabio padre chino en una comunidad pequeña. Él era tenido en gran estima, no tanto por su sabiduría como por sus dos posesiones: un hijo fuerte y un caballo. Un día el caballo rompió la cerca y se escapó. Todos los vecinos le dijeron: "¡Qué mala suerte!" El padre sabio contestó: "¿Por qué lo llaman mala suerte?" Unos pocos días después el caballo regresó, con otros diez caballos, y todos los vecinos dijeron: "¡Qué buena suerte!" El padre sabio respondió: "¿Por qué lo llaman buena suerte?"

Unos pocos días después su hijo fuerte fue al corral a amaestrar a uno de los caballos que habían llegado, se cayó y se rompió la cadera. Todos los vecinos vinieron y dijeron: "¡Qué mala suerte!" El padre sabio respondió: "¿Por qué lo llaman mala suerte?"

Como una semana después, un jefe de guerra malvado pasó por el pueblo y reunió a todos los hombres jóvenes, fuertes y capaces físicamente y los llevó a la guerra; al único que no se llevó fue al chico con la cadera rota. Todos los hombres jóvenes murieron en la batalla, y cuando la noticia llegó a la comunidad, los vecinos fueron corriendo a donde el padre y dijeron: "¡Qué buena suerte!" El padre dijo: "¿Suerte? ¡No! ¡No es suerte" Todas las cosas trabajan juntas por el bien de aquellos que aman al Señor"

Puede haber tiempos en que las cosas realmente se vean difíciles y no salgan como las planeó, pero si mira lo suficiente y tiene fe, verá que con cada bendición hay una carga y con cada carga, hay una bendición. Detrás de cada nube oscura se encuentra el sol. De la misma manera, detrás de todo problema hay una lección, si está dispuesto a buscarla y aprender de ésta.

¡Los poderes de la visión, la decisión, la acción, el deseo y la fe!

A veces en la vida tenemos experiencias que nos hacen apretar nuestros dientes con terror, y corremos a Dios porque nuestro mundo está temblando, sólo para encontrar que es Dios el que lo está haciendo temblar.

—Autor Desconocido

No hay ninguna utilidad en llorar cuando está lloviendo, ¡porque llorar sólo se suma a la lluvia! No hay ninguna utilidad en preocuparse por sus problemas, porque preocuparse sólo se suma al dolor. La vida tiene altos y bajos. La vida tiene sonrisas y tiene ceños fruncidos.

—RANCE ALLEN

¡Concéntrese en la solución, no en el problema!

Cuando sufra un contratiempo debe concentrar sus energías. Desgraciadamente la mayoría de la gente se enfoca en el problema y no en la solución. Retiran sus ojos de la meta y se concentran en los retos alrededor de la meta. Pasan todo su tiempo preocupándose acerca del problema y muy poco tiempo pensando en la solución. Si usted va a pensar y a quedarse en las cosas que pueden pasar, que todavía no han pasado, ¿por qué más bien no piensa en las cosas buenas y positivas que pueden pasar?

Preocuparse no resuelve problemas; usualmente los agranda. Preocuparse es un uso equivocado de la imaginación. La mayoría se preocupa hasta enfermarse, lo que crea más problemas y más preocupaciones. Los expertos médicos están de acuerdo en que la mayoría de enfermedades no son tanto lo que usted se come, sino más bien qué se lo está comiendo a usted. Preocuparse nunca resuelve el problema. No concentre sus energías en el problema, porque el problema ya está ahí. Concéntrese en crear soluciones y luego en llevarlas a cabo. La solución está esperando para nacer, esperando ser descubierta, esperando ser encontrada, pero usted debe traerla a la vida. Actúe y libere esas respuestas maravillosas que harán el problema una cosa del pasado y harán la solución una cosa del presente.

En la vida tendremos retos, tendremos problemas, tendremos contratiempos. Sólo mantenga en mente que no vale la pena llorar cuando está lloviendo y que no vale la pena preocuparse por los problemas. Concentre su energía en la solución y no en el problema y recuerde que ¡La adversidad es la preparación para alcanzar una victoria aún mayor!

A pesar de que todos pasamos por tiempos desafiantes, no se desespere, tenga fe, agárrese fuerte y dése cuenta que lo entenderemos mejor después. Miro hacia atrás y me doy cuenta de que no lo entendí cuando fui despedido de mi trabajo de cantante. No lo entendí cuando me delegaron a un trabajo de escritorio después de haber tenido éxito hablando para el sistema de colegios. Todos fueron contratiempos. No entendía el porqué en ese entonces, pero con el tiempo lo entendí mucho mejor.

Si no hubiera sido despedido de mi trabajo de cantante y remplazado por una máquina de karaoke, no hubiera tenido un trabajo en el sistema de colegios. Si no hubiera tenido un trabajo en el sistema de colegios, probablemente no habría comenzado a dar charlas. Si nunca hubiera comenzado a dar conferencias nunca me habría unido a la Asociación Nacional de Oradores. Si no me hubiera unido a la Asociación Nacional de Oradores, no habría sido invitado a hablar en la Convención Nacional de la Asociación en 1994. Si no hubiera sido invitado a hablar en esa Convención no habría conocido al editor de libros, Rick Frishman. Si Rick Frishman no me hubiera oído hablar, entonces él no me habría referido al agente literario, Jeff Herman. Si no hubiera sido referido a Jeff Herman él no habría podido publicar mi libro con St. Martin's Press. Si no hubiera publicado mi libro, la Editorial Taller del Éxito no lo habría visto y no me habría ofrecido un contrato para publicarlo en español. ¡Y si no existiera el contrato de publicación, *usted* no estaría leyendo este libro!

Y todo comenzó con un contratiempo, el contratiempo de haber sido despedido de mi trabajo de cantante y ser remplazado por una máquina de karaoke. Eso llevó a otro contratiempo en mi trabajo en el sistema de colegios, donde tuve que tomar la decisión de hacer lo que fuera necesario o hacer lo que fuera fácil. Decidí renunciar y caminar con fe. De ahí comencé a hablar y cree un programa de radio de un minuto que creó un libro de motivación de un minuto. Y ahora hay un libro acerca de cómo convertir los contratiempos en oportunidades. Y todo esto comenzó con un contratiempo. Finalmente entiendo que la adversidad es la preparación para una victoria aún mayor.

No lo entendí entonces, pero lo entiendo ahora. Si sólo tengo fe, continúo en la marcha, mantengo la visión y estoy dispuesto a luchar por mis sueños, mis contratiempos serán los escalones que me conducirán a mis sueños. He encontrado que es cierto: la adversidad es la preparación para renacer. Sin importar qué pase... ¡todo es bueno!

¡La choza en llamas!

El único sobreviviente de un naufragio fue llevado por la marea a una pequeña isla deshabitada. Rezó fervorosamente para que Dios lo rescatara, y cada día buscaba ayuda en el horizonte, pero nadie parecía venir. Exhausto, poco a poco fue capaz de construir una pequeña choza con madera para protegerlo de los elementos, y para guardar sus pocas posesiones.

Pero entonces un día mientras buscaba comida, vio un destello de luz. Llegó a casa para ver su pequeña choza en llamas, con el humo oscuro llegando hasta el cielo. Había ocurrido lo peor; todo estaba perdido. Estaba herido por la pena y la rabia. "Dios, ¡cómo pudiste hacerme esto!" gritó. Sin embargo, en algún lugar de su dolor encontró la fuerza para decir: "Debo continuar teniendo fe, debo continuar teniendo fe." Temprano, el día siguiente, fue despertado por el sonido de un barco que se acercaba a la isla. Había venido a rescatarlo. "¿Cómo supieron que estaba aquí?" preguntó el hombre agotado a sus salvadores. "Por su señal de humo," respondieron.

Es fácil desanimarse cuando las cosas van mal. Pero no debemos perder nuestro corazón, porque Dios está trabajando en nuestras vidas, aún en medio de los desafíos. La próxima vez que su pequeña choza esté ardiendo en llamas recuerde que puede ser simplemente la señal de humo que convierta su vida. Su mundo está temblando y usted corre hacia Dios, sólo para descubrir que es Dios el que lo está haciendo temblar. Bueno, Dios está en el temblor.

Tenga fe, crea en sus sueños y actúe, y siempre recuerde que los contratiempos son parte de la vida, y usted tendrá contratiempos, gústele o no. Entonces adquiera una nueva perspectiva. Dése cuenta que sólo toma un minuto cambiar su vida y darle un giro total. El minuto en que usted toma una decisión, actúa, se mueve hacia su visión y lo hace con gran deseo, usted cambiará su vida y comenzará a convertir sus contratiempos como la oportunidad para renacer. Recuerde se necesita Visión, Decisión, Acción y Deseo. Si puede tenerlos, también será capaz de decir: "Qué minuto tan maravilloso... La adversidad es la preparación para una victoria aún mayor, ¡y yo voy a hacerlo!" ¡Hágalo ahora! Está a su alcance. ¡Dios lo Bendiga!

Noveno paso – Enseñanzas

1. Sin importar qué pase ¡todo es bueno!

2. Todas las cosas trabajan juntas para el bien.

3. No hay utilidad en llorar cuando llueve; concéntrese en la solución, no en el problema.

4. Tenga una actitud de gratitud.

5. A veces es Dios el que causa el temblor, así es como hace las cosas.

6. Preocuparse nunca soluciona ningún problema, pero actuar sí.

7. ¡Elija ganar! Elija ser sano, rico, sabio, feliz y agradecido.

8. Su choza en llamas puede ser una señal de humo para un éxito mayor.

9. Visión, Decisión, Acción y Deseo son un equipo poderoso. No salga de casa sin ellos.

10. Sólo toma un minuto regresar triunfalmente. ¡El minuto en el que decide y actúa ya está en camino!

Epílogo

Este libro ha sido una obra de amor. Ha sido desafiante y difícil y he tenido un sinnúmero de contratiempos en el proceso. He tenido que escribir, volver a escribir, y escribir nuevamente. He tenido graves problemas con los computadores y con el tiempo Me han dado dolores de corazón porque no fui capaz de escribir en el papel lo que tenía en mi corazón, sin embargo, continué y me rehusé a rendirme. Esto me ha ayudado a crecer. Estoy confiado en que la persona que soy ahora, al final, es muy diferente a la que era al comienzo de este proceso.

Rezo porque he podido cumplir mis objetivos. Mi primer objetivo era inspirarlo. Espero que este libro haya sido capaz de inspirarlo con nuevas ideas y nuevos descubrimientos sobre cómo ver los contratiempos y los problemas de su vida. Espero que haya sido inspirado y motivado, para así no estar movido sólo con su mente, sino también inspirado y animado a actuar, gracias a los eventos en su corazón.

Mi segundo objetivo era darle alguna información. La motivación e inspiración sin información son incompletas. Espero que éste haya sido un manual completo. Espero que haya recibido unos buenos consejos, unos “Ajás” y “Enseñanzas” que lo puedan iluminar; TIPS efectivos (Técnicas, Ideas, Principios y Estrategias) para el éxito.

Mi tercer objetivo era compartir mi filosofía y algunas de mis perspectivas espirituales, de una forma sencilla y esclarecedora a la vez. Quería hacerlo lo suficientemente sencillo como para que un niño pudiera leerlo y entenderlo, y, sin embargo, suficientemente informativo y complejo para que un profesor universitario lo leyera y lo disfrutara. Fue difícil pero he tratado de hacer un libro que sea de ayuda a un gran número de personas, que pudieran entender, absorber la información, continuar y convertir efectivamente sus adversidades en oportunidades.

Finalmente, quería desesperadamente compartir mi fe con otros y hacer que leyeran mi corazón, no solamente mis palabras. Estoy tan agradecido con lo que Dios ha hecho en mi vida, y no sé si usted es cristiano, musulmán, judío o de cualquier otra fe, pero así como compartiría con mis amigos un gran restaurante o una gran película, también quería compartir la dicha y satisfacción que he recibido como resultado del compromiso con mi fe. Si ha terminado este libro y todavía no tiene a quien llamar, nadie a quien rezarle, nadie que se sienta cómodo de llamar su Dios, déjeme hacerle una recomendación. He aquí alguien que me ha ayudado y que me ha mostrado que la adversidad es la preparación para renacer.

Existió un hombre joven que murió alrededor de sus treinta años, después de una breve carrera pública que le había traído fama en su tiempo y territorio. El elemento trágico de la historia de su vida es que después de un éxito impresionante fue acusado falsamente de un crimen por el que fue hecho prisionero, juzgado y ejecutado. La pena de muerte se llevó a cabo. El final de su vida fue tocado por la desgracia última, la humillación, y la pena. Lloro cuando pienso en el espectáculo completo, sórdido, de esta injusticia social, excepto que su nombre fue reivindicado poco a poco. Regresó y su regreso fue impresionante y espectacular. Su honor fue restaurado y elevado. Su nombre hoy es el más respetado y conocido en el mundo cristiano. Hoy incluso contamos los años por el tiempo antes de su muerte y después de ella. Él es el Rey de las oportunidades. Su nombre es Jesús y él es mi amigo e inspiración. Yo sé que si usted lo llama ¡Él responderá. Sólo inténtelo. Estoy seguro que a Él le agradará!

—ADAPTADO DEL DR. ROBERT SCHULLER

Gracias por leer y compartir conmigo los pensamientos de mi corazón. Rezo para que usted comparta esta información con otros, quienes a su vez la compartirán con otros y el proceso continuará y la gente podrá ver, en números masivos, que "¡una curva en el camino no es el final del camino!" Continúe hacia adelante y viva sus sueños, con poder, pasión y propósito. Y recuerde que usted nació por una razón y con una misión y ¡debe vivirla!

Permanezca bendecido y altamente favorecido siempre, aún en medio de los desafíos. Lo dejo con esta cita de Nelson Mandela: "El poder más grande en la vida no está en no caerse nunca, sino en levantarse cada vez que se caiga." ¡Continúe levantándose! Continúe hacia adelante y recuerde que: "¡Un contratiempo verdaderamente no es más que una preparación para una victoria aún mayor!"

Recuerde:

Tiene solamente un minuto,
En él, sesenta segundos
para usted, no puede negarlo,
no lo buscó, no lo eligió
pero depende de usted usarlo,
debe sufrir si los pierde
rendir cuentas si usted abusa de él,
sólo un pequeño e ínfimo minuto,
¡Pero una eternidad está en él!

Usted tendrá contratiempos, pero no se desespere porque ¡Un Contratiempo verdaderamente no es más que una oportunidad para renacer! ¡Continúe hacia adelante y viva sus sueños!